L'ENFANT

ET LA RELAXATION

« S'il te plaît, apprivoise-moi. »

Geneviève Manent

Le Souffle d'Or - BP 3 - 05300 BARRET-LE-BAS

© Le Souffle d'Or
Tous droits de reproduction réservés pour tous pays
Photographies intérieures : Benoit Manent
Dessins : Etienne Leroux
Mise en page : Aline Pontailler
Couverture : photo : B. Manent
              maquette : Bencimoune Concept
Impression et brochage : Louis-Jean / Gap

Dépôt légal : 3ème trimestre 1990
ISBN 2 904 670 467

Le Souffle d'Or
BP 3
BARRET-LE-BAS
FRANCE

A l'aube de ce livre, je me suis mise en relaxation et j'ai découvert en moi un espace de silence: il était lumineux, bleu et vert émeraude, comme une caverne magique... Et je me suis mise à écrire.

Des images d'enfant venaient à moi et je retrouvais l'émerveillement de chaque rencontre.

Les mots venaient sur le papier et mes pensées se formaient au fur et à mesure que j'écrivais. En relisant, j'ai su ce que je voulais dire.

Ainsi se déroule l'échange avec l'enfant: je sais peu de choses, mais je me laisse complètement «impressionner» (au sens générique) par le mystérieux rayonnement de l'enfant, je me laisse enchanter et les gestes, les mots naissent et passent.

C'est cela le plus important et j'espère l'avoir transmis.

Ce livre se compose:

- de photos pour se laisser «toucher» par l'enfant,

- de points de vue exprimant l'esprit qui m'anime dans le vécu avec lui,

- d'éléments pratiques où l'esprit s'informe, c'est-à-dire prend forme à l'intérieur de la matière, s'incarne, se concrétise.

Geneviève MANENT

TABLE DES MATIERES

Enfant

        Qui es-tu ?

Pour cueillir ton mystère

Et me promener avec toi sur les chemins de la vie

Offre-moi un instant...

           une émotion...

                un regard...

Je t'attends...

Apprends-moi à marcher dans les étoiles

        à humer la terre

        à comprendre les hommes

        à m'envoler.

Détaché du monde, dans ton château intérieur

        Tu défies croyances et certitudes.

Conscient du monde dans tes forêts de couleurs et de sons,

        Tu démasques l'acteur et tu joues la vie.

Habille-moi de ton rire-lumière

        Et nous irons au devant des sorcières et des monstres.

Tu me rapproches du soleil.

        Je te nomme la route et les comètes.

        Je t'offre ma baguette magique

        Pour voyager dans les espaces finis et infinis,

Viens,

Découvrons ensemble les merveilles et les mystères de l'univers.

Apprivoiser l'enfant, pour le révéler à lui-même

Après avoir marché dans le désert, le Petit Prince[1] découvre les routes, les roses et enfin le renard. Il souhaite jouer avec lui mais pour cela, il faut d'abord l'«*apprivoiser*». Le renard enseigne alors au petit prince comment «*créer des liens*».

A l'image du renard qui ne peut pas jouer avec le Petit Prince sans être apprivoisé, je ne peux pas rencontrer l'enfant sans prendre le temps de créer des liens.

Le renard (comme l'enfant) sait ce qu'il lui faut:

- être apprivoisé
- avoir des amis

et comment faire: être patient, respecter les rites...

Mais c'est la présence du Petit Prince qui lui permet de le révéler et le vivre.
... Le Petit Prince est capable d'apprivoiser
mais il doit être guidé par le renard.

Et c'est un échange incessant:

... Le renard ne peut s'habiller le coeur qu'avec l'attente du Petit Prince et sa venue régulière (rituelle, sécurisante).

... Le Petit Prince connaît ce qu'il a à faire en se mettant à l'écoute du renard.

Ainsi en est-il de la rencontre enfant-adulte:
- Si je crois que l'enfant a tout en lui et que, d'une manière inconsciente il sait où il va...
je crée des occasions de rencontre et je ne crains plus de me tromper, de ne pas savoir, ou de faire des erreurs.

D'ailleurs, le renard précise sa demande:
«*Il eût mieux valu revenir à la même heure*»...
comme l'enfant insiste quand je ne le comprends pas complètement.

- Si je crois que l'enfant dit tout ce qu'il est et ce dont il a besoin pour se révéler, mon écoute attentive et consciente lui permet de le vivre et de le réaliser.
J'apprends «*à voir avec le coeur*», à me libérer de mes projections et mes désirs propres.

_____

(1) *Le Petit Prince,* de Saint Exupéry.

Apprivoiser

«Il faut être très patient»: ce n'est pas la peine de venir plus souvent... d'essayer d'aller plus vite...

Au début *«Tu ne diras rien. Le langage est source de malentendus»*.

C'est une approche non verbale, d'écoute, de perceptions, de senti... faite de couleurs, d'odeurs, de regards...

«Mais chaque jour tu pourras t'asseoir un peu plus près»... peut-être me toucher... puis parler.
C'est une exigence très grande de respect de l'enfant, de confiance, d'amour.

... Et me laissant inspirer par les paroles du Petit Prince à propos de sa rose, je peux dire:

> «Les enfants, il faut les regarder et les respirer. Le mien embaume ma pièce mais je ne sais pas toujours m'en réjouir. Je ne sais pas toujours le comprendre: les enfants sont si contradictoires. Et pourtant ils m'embaument et ils m'éclairent. Lorsque je les juge sur leurs actes ou sur leurs mots, c'est que je suis trop vieux pour savoir les aimer.»

> *«Si tu m'apprivoises... tu seras pour moi unique au monde, je serai pour toi unique au monde...»*

Dans cette relation à l'enfant, je ne prends la place de personne:
Que je sois son ami, son parent, son enseignant, je suis unique et l'amour que je dispense s'adresse à lui seul: il est spécifique du lien entre cet enfant et moi.

J'accueille l'enfant en sachant que:

> *«l'essentiel est invisible pour les yeux»* et lui *«me regarde du coin de l'oeil.»*

> Je lui laisse son espace et je lui permets de me découvrir avec son regard: le regard de l'enfant est souvent sérieux, il peut fixer sans baisser les yeux et sans sourire,

> comme pour aller au fond de l'être
> ou comme pour ne rien voir.

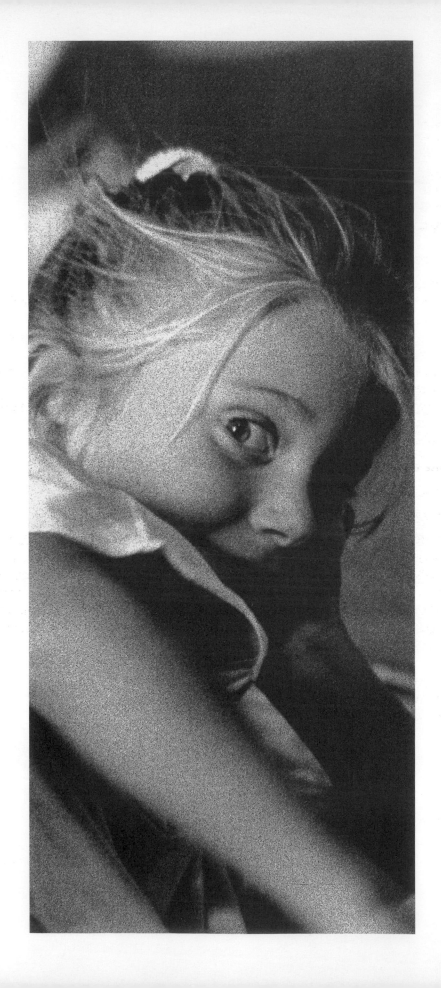

regard sérieux d'enfant qui s'ouvre...
regard rêveur d'enfant qui reste à l'intérieur
regard d'accueil... regard de lumière

regard d'adulte qui reçoit
regard du coeur...
regard de bonté,
regard profond de celui qui ne sait pas.

«On ne connaît que les choses que l'on apprivoise».

L'essentiel de l'histoire naît de l'enfant et non de l'adulte.
Le jardinier ne détermine pas la couleur de la fleur, ni le jour de son éclosion, ni son odeur, ni sa forme.
Il ne modifie pas le cours des saisons pour elle, il la protège contre les insectes, les intempéries.
En la soignant, en l'arrosant, il lui permet d'être encore plus belle, de donner sa meilleure couleur, son meilleur parfum.
Il sait que tout est en elle en puissance... et ne tire pas dessus pour qu'elle pousse plus vite.
Il la regarde pousser avec confiance, il l'aime et il l'admire:

«Comme vous êtes belle» dit le petit Prince à sa rose.

Je me laisse émerveiller par l'enfant:

«Son rire, c'est pour moi comme une fontaine dans le désert».

Parfois ses forces de vie se manifestent envers et contre tout: dans le film «Un enfant de Calabre[1]», le jeune garçon a la course «dans la peau»; il ne pense qu'à courir. Les sanctions de ses parents restent sans effet. Il promet sincèrement de travailler ou dormir et le soir, une force qui le dépasse l'incite à sauter par la fenêtre pour aller courir. C'est une énergie qui l'habite et le propulse en avant. Et il dit: «Quand je cours, je ne pense à rien, je rêve, je suis heureux... Les lucioles me sourient, elles m'applaudissent à chaque pas».

Et je peux ajouter:
   «Ce que tu sens est juste
   Tu sais ce qui est bon pour toi».

---

(1) Film italien de Luigi Commencini - 1988

Françoise Dolto disait:

> *«Les enfants sont dans l'essentiel de ce qu'est l'être humain, dès leur conception jusqu'à leur mort. L'essentiel est là, qu'il émerge ou non, que les autres en soient témoins ou non, c'est toujours là. L'enfant ne réfléchit pas à lui — c'est la différence. Il n'en est pas conscient.»*

Il s'agit en fait d'un état de conscience différent, qui n'est pas associé au dégagement du témoin, au regard extérieur. Mais il est dans un état proche du Soi, il est Uni.

• En relaxation, j'offre à l'enfant des espaces d'expérience qui le mettent en contact avec lui-même. J'accompagne son cheminement: je suis pour lui un miroir conscient qui le révèle à lui-même.

Il apprend à repérer les forces qui sont en lui. N'allant plus chercher chez les autres ce qui lui manque, il devient autonome. Progressivement, l'enfant découvre sa véritable identité et peut dire «Je suis».

Et réciproquement, l'enfant m'apprivoise: il me révèle des faces cachées de moi-même; je découvre alors d'autres dimensions, valeurs et qualités.

Je rencontre l'enfant qui est en moi, et je le laisse vivre, en gardant le recul et la conscience de l'adulte.

PREMIERE PARTIE

La relaxation
pour une nouvelle conscience

CHAPITRE 1

La relaxation :

Un chemin d'évolution

Comme l'univers génère son propre espace, l'homme génère sa vie. Le but ultime de la vie est la réalisation de soi en harmonie avec celle de l'univers.

La relaxation favorise l'émergence de la conscience et la circulation de la vie.

Un chemin d'évolution

La relaxation est un espace d'expérience.

I. L'adulte nomme l'expérience et éventuellement la propose

II. Pour mettre l'enfant davantage en contact avec lui-même
    (relier toutes ses dimensions)
        A. Le labyrinthe, symbole de la vie terrestre
        B. La relaxation pour être heureux ?

III. Pour favoriser l'autonomie

I. L'ADULTE NOMME L'EXPERIENCE ET EVENTUELLEMENT LA PROPOSE

L'enfant arrive sur terre avec un chemin à parcourir.

La relaxation l'aide à cheminer avec plus de conscience et de sécurité.

Elle lui offre la possibilité de redevenir lui-même ou plus simplement d'être.

Elle lui apprend à utiliser toutes ses potentialités.

Il repère et développe les valeurs fondamentales de l'enfant (unité, spontanéité, authenticité, joie de vivre...), ce qui le sécurise et le rend confiant face à lui-même et à la vie.

Le monde environnant et les événements extérieurs seront toujours les mêmes, mais son regard sur eux, son mode d'appréhension et sa capacité à les vivre seront différents.

Lorsque le Petit Prince arrive sur terre, il découvre qu'il existe des milliers de roses, et il est très malheureux, lui qui se sentait riche de sa fleur. (Elle lui avait raconté qu'elle était seule de son espèce dans l'univers). Croyant posséder une rose «ordinaire», il pleure. Après avoir apprivoisé le renard, il retourne (sur les conseils de ce dernier) voir les roses et comprend en quoi la sienne est unique: il peut alors leur dire:

> *«Vous n'êtes pas du tout semblables à ma rose, vous n'êtes rien; personne ne vous a apprivoisées et vous n'avez apprivoisé personne.»*

Désormais, plus rien ne viendra bouleverser cette certitude.

De la même manière, en état de relaxation, l'enfant fait l'expérience directe des choses : sensations, sentiments, connaissances.

Alors il «sait» et il comprend comme le Petit Prince.

Ce que l'adulte lui dit trouve un écho en lui parce qu'il l'a expérimenté.

> • *En relaxation, l'enfant peut vivre toutes sortes d'expériences, libéré de la peur et de l'angoisse, et il s'en souviendra.*
> *Lui offrir cette expérience est un véritable cadeau.*

II. POUR METTRE L'ENFANT DAVANTAGE EN CONTACT AVEC LUI-MEME (RELIER TOUTES SES DIMENSIONS).

A. LE LABYRINTHE

L'image du labyrinthe peut illustrer une des fonctions de la relaxation que je propose à l'enfant. Le labyrinthe est le symbole du chemin de la vie terrestre vers la Jérusalem Céleste, du passage de la terre au ciel[1].

Le fil d'Ariane permet de retrouver le chemin, il fait le lien entre le départ et l'arrivée. La relaxation, pourrait, dans cette image, être comme un véhicule, un moyen de cheminer vers l'intérieur de soi, en intégrant l'extérieur.

La première partie du labyrinthe se fait en aveugle, un peu comme un poussin dans sa coquille; la conscience n'est pas encore éveillée... Puis la coquille se brise pour que l'évolution se fasse (que le poussin puisse grandir).

Pour l'enfant, la relaxation fait comme des fenêtres, des transparences dans la coquille, ce qui lui permettra d'oser la briser et de sortir lorsqu'il sera temps. Il se retrouvera un peu «nu» face au monde mais toujours relié à son fil.

> • *Au cours de ce cheminement, je lui propose un certain nombre d'expériences simples et ordinaires qui le mettent en contact plus étroit avec ses outils terrestres de conscience de soi (détentes, respirations...).*

Je l'aide à ne pas lâcher le fil, mais je ne connais pas plus que lui le chemin. Je sais lire la carte de la vie qui m'indique les dangers, les sables mouvants... mais la carte est statique: elle montre les directions mais n'impose aucun choix.

> *«De même que l'intelligence des enfants est à la mesure des possibilités que nous leur donnons, de même la conscience, la présence et la concentration sont fonction des possibilités que nous leur donnons[2]».*

Je joue le rôle de boussole ou de garde-fou grâce à ma propre sécurité intérieure. Ainsi je maintiens le cap, en tenant tous les bouts: haut, bas, droite, gauche, centre, devant, derrière, extrêmités[3]...

---

(1) C'est du labyrinthe qu'est née la marelle, jeu d'enfants qui consiste à monter les étapes de la terre vers le ciel.
(2) G. Doman: *«Enfants, le droit au génie».* Hommes et Groupes. P.152
(3) Voir troisième partie: La relaxation pour se relier à l'univers

• *C'est une conscience globale et évolutive.*
Je ne peux jamais m'asseoir, définitivement satisfaite,
croyant que j'ai trouvé ou que je suis arrivée.

B. LA RELAXATION POUR ETRE HEUREUX ?

Est-ce que la relaxation aide l'enfant à être heureux, ou au moins lui évite-t-elle d'être malheureux ?
Aucun amour humain ne peut lui éviter les souffrances, les deuils, les épines et les embûches du chemin.
La relaxation peut simplement être considérée:
   - comme un support dans l'art de vivre les événements,
   - comme un outil dynamique pour franchir les étapes et vivre les trans-formations.

• *Le petit prince se trouve parfois bien seul sur sa planète:*

mais il a «ses couchers de soleil».
   Sa rose lui amène une joie plus grande que les autres fleurs et arbustes, mais il a des difficultés avec elle... et le voici obligé de la quitter pour apprendre à mieux la connaître.
   ... et il ne sait même pas s'il reviendra.

• *Ainsi la séparation devient*
source d'enseignement et de découverte.

L'enfance est un passage... une étape... un cercle de la spirale de vie.
Relaxer = re-lâcher = re-libérer.

   Chaque relaxation propose une libération.
   Chaque relaxation ouvre un passage.[4]
   Chaque relaxation facilite le détachement.
   Chaque relaxation est un enseignement.

La relaxation correspond à un état de conscience (état alpha) différent de celui de veille.

---

(4) Voir p.157
(5) Jean-Yves Leloup: *«L'Evangile de Thomas»*. Collection «Spiritualités Vivantes» chez Albin Michel.

En relaxation:
- le corps est perçu concrètement et l'on va au-delà du corps,
- l'extérieur est davantage présent, et l'on va au-delà de l'extérieur,
- l'extérieur et l'intérieur peuvent se confondre et l'on dépasse la dualité,
- le rationnel n'entre plus en jeu, l'imaginaire retrouve sa place.

Alors se développent des sensations nouvelles. Les découvertes ne passent plus par des explications. Au sortir de cette expérience, le comportement est modifié, une énergie nouvelle s'incarne, une transformation s'opère de l'intérieur.

> • *La relaxation relie l'enfant à sa propre expérience, à son fil d'Ariane.*
> *Ainsi tout en libérant l'imaginaire, elle le rattache à ses racines et à sa structure.*

III. FAVORISER L'AUTONOMIE A PARTIR DE LA SEPARATION.

Nous sommes des enfants de l'espace[4].

«Un des lieux possibles où l'univers a conscience de lui-même[5]».

Arrivé sur cette terre, l'enfant a besoin de l'adulte pour survivre et acquérir la position verticale... mais il a très vite l'intuition de son autonomie.

Jésus adolescent dans le temple (Luc, II 41-52).

«Ses parents allaient chaque année à Jérusalem pour la fête de la Pâque. Quand il eut douze ans, comme ils y étaient montés suivant la coutume de la fête, et qu'à la fin des jours de fête ils s'en retournaient, le jeune Jésus resta à Jérusalem sans que ses parents s'en aperçoivent. Pensant qu'il était avec leurs compagnons de route, ils firent une journée de chemin avant de le chercher parmi leurs parents et connaissances.

Ne l'ayant pas trouvé, ils retournèrent à Jérusalem en le cherchant. C'est au bout de trois jours qu'ils le retrouvèrent dans le Temple, assis au milieu des maîtres, à les écouter et les interroger. Tous ceux qui l'entendaient s'extasiaient sur l'intelligence de ses réponses.

En le voyant, ils furent frappés d'étonnement et sa mère lui dit:

«Mon enfant, pourquoi as-tu agi de la sorte avec nous ? Vois, ton père et moi nous te cherchons tout angoissés.»

Et il leur dit:

«Pourquoi me cherchez-vous ? Ne saviez-vous pas qu'il me faut être chez mon Père ?»

Mais eux ne comprirent pas ce qu'il disait.

Puis il descendit avec eux pour aller à Nazareth; il leur était soumis; et sa mère gardait tous ces événements dans son coeur.»

Jésus avait 12 ans lorsqu'il dit à ses parents:

«Pourquoi me cherchez-vous ? Ne saviez-vous pas qu'il me faut être chez mon Père ?».

Il se relie au «Père»,
         à sa verticalité,
         à sa destinée...
         à sa dimension d'éternité.

Ses parents, eux, ne comprennent pas; ils lui demandent:

«Pourquoi as-tu agi de la sorte avec nous ? Vois, ton père et moi nous te cherchons tout angoissés.»

Comme tout parent dit à l'enfant:

«Pourquoi m'as-tu fait cela ?»

Or l'enfant n'a pas agi en fonction d'eux, mais de lui: il suit son propre chemin... il «connaît» sa route.

... et d'ailleurs tout le monde s'extasie.
Quand l'enfant est à sa juste place,
         il est source d'émerveillement,
         il est dans sa dimension d'«être»,
         il a ce mystérieux rayonnement qui le rend beau au-delà de toute apparence physique.

«L'être est éternel, le devenir est temporel[6]».

Lorsque la situation est juste:

        • l'enfant s'organise naturellement et accepte les choses.

Seul sur sa planète, le petit prince doit être vigilant pour distinguer les brindilles de radis ou de rosiers des grains de baobabs qui risquent de faire exploser sa planète. Et il dit:
«C'est une question de discipline.
... C'est un travail très ennuyeux mais très facile.»

        • et c'est lui qui rassure l'adulte.

Après avoir décidé de retourner sur sa planète, le Petit Prince va retrouver le

---

(6) Jean-Yves Leloup, *«L'Evangile de Thomas»*, op. cit.

serpent et s'assure qu'il a du bon venin. Mais Saint-Exupéry, l'adulte, ne peut pas accepter la situation:

«*Dis-moi que ce n'est pas vrai cette histoire...*»

et le Petit Prince répond:

«*J'aurai l'air d'avoir mal...*
J'aurai un peu l'air de mourir...
... c'est comme ça»

Puis il ajoute:

«*C'est là... laisse-moi faire un pas tout seul*»

et il paraît alors impensable et même pas envisageable à St Exupéry de le retenir.

Pourquoi retenir l'enfant ?
Accepter l'idée de se séparer
et de la séparation...
Accepter l'idée de la mort
et la mort... si c'est son chemin.

Après tout, mourir n'est-ce pas, symboliquement parlant, «*déménager dans une plus belle maison*» ? (Elisabeth Kübler-Ross)

> • *La relaxation favorise les passages:*
> *l'enfant ne peut se détacher que dans la sécurité, que s'il est sûr de ses attaches, c'est-à-dire lorsqu'une vraie rencontre a eu lieu et qu'il se sent reconnu (accepté) pour ce qu'il est dans une dimension d'amour.*

CHAPITRE 2

Se laisser apprivoiser par l'enfant

pour mieux le rencontrer

Pour rencontrer l'enfant qui est en face de moi, je me laisse toucher et apprivoiser par lui. Alors, j'entre dans son monde, je reconnais et j'expérimente la qualité d'enfant en moi, dynamisée par la maturité de l'adulte.

Se laisser apprivoiser par l'enfant pour mieux le rencontrer

L'essentiel de la rencontre

I. Expérimenter la qualité d'enfant en soi

    A. Découvrir ses qualités

        1. Force et fragilité

        2. Langage spécifique

        3. Unité dans le vécu au présent

        4. Pureté et capacité d'émerveillement

        5. Joie de vivre et liberté

        6. Sens du juste

        7. Liens avec le divin

    B. Entrer plus concrètement dans le monde de l'enfant:
        Exercices pratiques

II. Pour mieux rencontrer l'enfant qui est en face de soi

    A. Individuellement

    B. Collectivement

Pour rencontrer l'enfant en face de moi, je me mets en relation avec ma propre expérience d'enfant.

Cette expérience concerne tous les plans de la personne: une simple connaissance intellectuelle ou abstraite passerait à côté de l'essentiel. Ce n'est pas seulement une attitude: plus qu'une façade ou une apparence, c'est une connaissance qui vient de l'intérieur, un élan, une force qui concerne ma «vitalité radicale» dans le sens précisé par Richard Moss: radical signifie «qui a trait aux racines, au fondamental[1]».

Elle suppose que je sois chaque jour neuf «comme un enfant au réveil[2]». Elle sous-entend un deuil, une mort aux structures pré-établies, aux valeurs toutes faites, aux systèmes de pensée rigides.

En cela, elle rejoint la sagesse du vieillard qui ne porte plus de jugements, qui accueille l'autre tel qu'il est parce qu'il est trop sage pour «savoir» et pour juger.

L'enfant ne sait pas qu'il sait (il a tout en lui).

Le vieillard sait qu'il ne sait pas.

La rencontre entre deux personnes dépend de la qualité vibratoire de chacun; elle est faite de partage, de sensibilité, de «senti». L'essentiel n'est pas dans la dimension technique ou cognitive, mais dans sa plénitude, son intégralité. Chaque rencontre est une expérience vécue, profonde et personnelle, qui intègre la spécificité de l'enfant et la globalité de l'être.

J'observe ce qui se passe entre le renard et le Petit Prince:
- Le renard est un peu désabusé mais prêt à ensoleiller sa vie.
- Le Petit Prince, neuf et émerveillé, est disposé à toutes les découvertes.

Lors des rencontres, nous sommes alternativement renard ou Petit Prince mais chacun s'engage: et c'est une relation sans défense parce qu'elle a lieu avec un être fondamentalement pur à qui je fais confiance. Je prends le risque de me livrer ou de m'offrir (comme lorsque je m'en remets à quelqu'un) et «d'être triste».

«On risque de pleurer un peu si on s'est laissé apprivoiser».

---

(1) Richard Moss: *«Papillon Noir»* paru au Souffle d'Or.
(2) Dr. Vittoz: *«Traitement des psychonévroses par la rééducation du contrôle central».*

Avec l'enfant,

- je prends le risque qu'il ne revienne pas, et peut-être d'habiller mon coeur pour rien...
- je prends le risque de la confiance au-delà des événements, c'est-à-dire d'une confiance qui accepte les errements, le non-contrôle.

I. EXPERIMENTER L'ENERGIE D'ENFANT

A. DECOUVRIR SES QUALITES

Je découvre les qualités et les valeurs de l'enfance, je m'en imprègne: elles résonnent en moi parce qu'elles existent déjà au fond de moi.

1. L'enfant est fort sous une apparente fragilité...

- Ouvert et réceptif, il a la fragilité de celui qui a besoin de l'autre pour vivre et être révélé à lui-même.
- Mais il possède la force:
    - de tout être vivant et complet,
    - de celui qui dit et manifeste tout ce qu'il est dont la nature est fondamentalement bonne.

• Comme l'enfant, je suis un amalgame de force et de fragilité.

J'accepte et je dynamise cette dualité par un accroissement simultané de ma sensibilité intérieure et d'un juste recentrage.

Je suis fragile si je reconnais que j'ai besoin de l'autre,
            si je m'ouvre et que je prends des risques dans cette relation,
            si j'intensifie ma receptivité.

Mais je suis forte parce que je suis reliée à mon fil d'Ariane et que je m'exerce à connaître ce qui est juste.

2. L'enfant communique sans parler, dès sa naissance et même avant.

a) Etymologiquement, l'enfant ou «in-fans» est «celui qui ne parle pas». Il établit cependant des relations très fortes avec sa mère et ses proches. Pour cela, il utilise ses yeux, sa bouche, sa voix, ses mouvements, tout son corps.

«L'enfant s'éveille par des réponses à des appels. L'enfant parle parce que sa mère, dans le berceau s'est adressée à lui comme à un être capable de répondre.» (Durckheim: *«La percée de l'être».*)

• J'éveille ma conscience du langage non-verbal, de la communication silencieuse. Je découvre que mon corps parle.

b) Puis il apprend le langage. Au fil des jours, des mois, ses mots et ses échanges gardent une couleur et un processus bien spécifiques.

• Et j'apprends à taire mes questions ou à ne pas attendre de réponse.
J'accepte de me laisser surprendre: ouvrant mon coeur, je ferme provisoirement la porte à tous mes discours intérieurs et extérieurs.

Saint-Exupéry écrit au sujet du Petit Prince:
> *«Je savais bien qu'il ne fallait pas l'interroger»* mais il ne peut s'empêcher de le faire.

En réponse à *«Qu'est-ce que tu fais là ?»*, le Petit Prince répond:

> *«S'il te plait, dessine-moi un mouton»* et l'auteur ajoute: *«Quand le mystère est trop impressionnant, on n'ose pas désobéir. Aussi absurde que cela me semble...»*

Et l'enfant n'hésite pas à refuser ce qui ne lui convient pas, à répéter sa demande avec insistance, jusqu'à ce que l'adulte désarmé lui donne une réponse satisfaisante:

> *«Ça, c'est la caisse. Le mouton que tu veux est dedans.»* Et l'enfant heureux répond: *«C'est tout à fait comme ça que je le voulais !»*

c) Et c'est lui qui interroge sans cesse, curieux, répétant inlassablement:
«Dis-moi pourquoi...», «dis-moi comment...», «à quoi ça sert ?...»

• Je redécouvre le monde avec un regard d'enfant.

3. L'enfant vit dans le présent, proche de ses besoins, de ses sensations, de ses expériences.

a) Proche de ses besoins
Perdu dans le désert, le Petit Prince dit: *«J'ai soif, cherchons un puits».*

• Et même si je réponds, comme St. Exupéry: *«il est absurde de chercher un puits au hasard»*,
> je me mets en marche avec lui,
> et je me libère du rationnel, des «on n'y arrivera jamais» ou «ce n'est pas possible».

«Lorsque l'enfant paraît, le cercle de famille
Applaudit à grands cris. Son doux regard qui brille
      Fait briller tous les yeux,
Et les plus tristes fronts, les plus souillés peut-être,
Se dérident soudain à voir l'enfant paraître,
      Innocent et joyeux.

Quand l'enfant vient, la joie arrive et nous éclaire.
On rit, on se récrie, on l'appelle (...)

Enfant, vous êtes l'aube et mon âme est la plaine
Qui des plus douces fleurs embaume son haleine
      Quand vous la respirez;
Mon âme est la forêt dont les sombres ramures
S'emplissent pour vous seul de suaves murmures
      Et de rayons dorés ! (...)

Vous êtes parmi nous la colombe de l'arche.
Vos pieds tendres et purs n'ont point l'âge où l'on marche,
      Vos ailes sont d'azur.
Sans le comprendre encor vous regardez le monde.
Double virginité ! corps où rien n'est immonde,
      Ame où rien n'est impur ! (...)

Seigneur ! préservez-moi, préservez ceux que j'aime, (...)
De jamais voir l'été sans fleurs vermeilles,
La cage sans oiseaux, la ruche sans abeilles,
      La maison sans enfants !

Victor Hugo (Les Feuilles d'automne)

b) Proche de ses sensations

Il n'est pas déformé par la conscience rationnelle ou perdu dans les concepts. Tout entier dans ce qu'il vit, il a une expérience globale: par exemple, face à une fleur, il s'émerveille complètement de sa beauté, sans avoir besoin d'expliquer pourquoi c'est beau.

Et, de ce fait, il peut s'abandonner librement à l'expérience, il est ouvert au courant vital et fait confiance à priori.

• Je retrouve l'unité dans l'expérience de mes sensations et ma qualité de présence au quotidien.

Je développe une réceptivité au monde en étant davantage présente à mes sensations et en privilégiant ce que le Dr. Vittoz appelle «sentir sans penser».

Je m'exerce à lâcher la méfiance, les systèmes de croyances, à faire confiance à priori:
- à l'enfant qui est en face de moi, à la vie,
- et à l'énergie d'enfant qui est en moi.

Je me laisse toucher par l'enfant et comme le décrit Victor Hugo dans son poème, je laisse s'éveiller en moi des dimensions qui étaient peut-être endormies.

4. L'esprit de l'enfant est neuf et pur...

«Mais tu es pur et tu viens d'une étoile», dit le serpent au Petit Prince qui s'émerveille et s'étonne.

• J'accepte une relation sans défenses au niveau de la personne que je reconnais comme «pure» et je me laisse surprendre. Et l'étincelle jaillit, comme dans le mécanisme de la recherche: il y a au départ une technique, une connaissance, une conscience des questions, puis un lâcher-prise. Alors la solution peut apparaître soudainement. «Eurêka !»

5. L'enfant mêle sagesse et légèreté, responsabilité et liberté, réel et imaginaire.

a) Il symbolise la joie de vivre et la liberté et il sait paradoxalement être insouciant ou sérieux.

• Je quitte pour un temps le rôle du parent ou plus particulièrement cet aspect du parent qui a pour lui la loi, le pouvoir, la connaissance, la peur des mauvaises habitudes. Par rapport à l'essentiel, nous sommes tous égaux:

j'accepte de ne pas toujours savoir,
j'accepte la spontanéité (ne pas prévoir),
j'accepte de perdre ou de me tromper, d'être moins performant,
je ris de moi...

L'enfant ouvert et réceptif est parfois plus conscient ou plus mûr que moi.

b) Il mêle le réel et l'imaginaire.
Il joue «sérieux». Il rentre et sort de son monde intérieur avec aisance et facilité.

• Je joue avec lui, je suis «prête à l'imprévu».
Je me laisse désarmer (cf. le dessin du mouton).
Et j'apprends à écouter «rire les étoiles» puisque dans chacune d'elles, il y a le rire du Petit Prince.

6. L'enfant a le sens de ce qui est juste.
    Je vis l'expérience avec lui.

a) L'enfant a naturellement conscience de sa propre valeur. Il se trouve beau. Il aime apprendre. Il est curieux.

• Face à lui, je me fais confiance et je laisse une lumière intérieure éclairer tout mon corps,
            je fais confiance à sa capacité de développement.

«Jésus magnifie le pouvoir et le savoir naturel de l'enfance:
«Laissez les petits enfants venir à moi». Ne veut-il pas dire:
«Laissez vos enfants advenir à leur liberté» ? C'est-à-dire: «Ne les retenez pas dans leur élan qui les pousse vers une expérience qui les appelle.
Ayez foi dans la vie qui anime leurs attirances, n'entravez pas leur désir d'autonomie».[3]

b) Au début de sa vie, il n'a pas la notion du bien et du mal: il a davantage l'idée de ce qui est «juste» ou «bon».

• Je dépasse l'idée du «c'est bien» ou «c'est mal», «tu es gentil» ou «tu es méchant».
La Bible raconte que Dieu crée le monde jour après jour; elle ajoute: «Et Dieu vit que cela était bon», ce qui signifie «juste» ou «à sa place[4]».
Je me réjouis et je m'extasie.
Je partage la joie, la tristesse, je compatis, je transforme les larmes, je vis l'expérience en considérant qu'elle est «bonne».

---

(3) Françoise Dolto: *«L'évangile au risque de la psychanalyse».*
(4) En hébreu, le mot *Tov* signifie le bien et le bon. Il exprime que chacun est à sa juste place.

7. L'enfant est spontanément relié au divin.

De la même manière qu'il communique avec les demandes de la nature, les animaux..., il anime les objets. Il n'a pas conscience des «séparations» de l'univers qui sont peut être créées par des croyances ou des schémas, par le mental de l'homme.
L'enfant est enfant de Dieu avant d'être enfant de l'homme.

• Je me relie au divin...
«Si vous ne devenez pas comme des enfants, vous n'entrerez pas dans le royaume des cieux».[5]

• *Au cours de la rencontre, chacun de nous révèle le meilleur de lui-même et ce qui est important pour son évolution.*

B. ENTRER PLUS CONCRÈTEMENT DANS LE MONDE DE L'ENFANT

• Avec des photos.

a) Commencez par feuilleter le livre et choisissez trois photos que vous aimez.
- Vous regardez la première photo puis vous fermez les yeux et vous la revoyez dans votre tête (vous la visualisez mentalement). Puis vous faites de même avec la deuxième photo et avec la troisième.

- Ensuite, comme pour une projection de diapositives, vous revoyez mentalement la première photo, vous ressentez dans votre corps tout ce que cette photo déclenche en vous: peut-être de la tendresse, un sourire, de l'émerveillement...

- Puis vous faites de même avec la deuxième photo et avec la troisième.

b) Reprenez maintenant la première photo (ou bien une nouvelle); imaginez que l'enfant se met en mouvement, qu'il joue, court, saute, qu'il vous sourit et hop ! un déclic: il rentre dans la photo qui retourne à sa place dans le livre.

- Prenez la deuxième photo devant vous et amusez-vous à modifier les traits du visage ou la posture de l'enfant (lentement ou rapidement), le faisant passer du rire au sérieux ou des larmes au sourire; de la position assise à debout. Laissez-le s'ouvrir, se fermer. Imaginez-le bien concentré à l'intérieur de lui puis

---

(5) Matthieu XVIII, 3

tout à fait ouvert au contact. Sentez comme il vous touche à tous les sens du terme; laissez-vous toucher par l'enfant... Et tranquillement rangez la photo.

c) Choisissez un nouvel enfant et habillez-le de couleurs vives et joyeuses; déguisez-le en animal, en grand-père, en clown.
Déguisez-vous mentalement aussi pour jouer avec lui. Vous voilà prêt à le rencontrer.

• En relaxation (voir page suivante)

RELAXATION[4]

Bonjour l'enfant

Vous posez votre corps sur le sol de façon à être complètement à l'aise, sans vous soucier de savoir si c'est bien ou pas bien...
Vous vous mettez exactement comme vous en avez envie
et vous sentez que c'est la bonne position pour vous... la position «juste».
Vous êtes complètement bien
et vous poussez un soupir d'aise comme un chat qui ronronne.
Vous promenez votre conscience dans les différentes parties de votre corps, point par point puis globalement[5].
Vous sentez maintenant tout votre corps,
tout votre corps qui respire, calme et tranquille.
Vous sentez votre corps qui respire, vous voyez votre corps qui respire:
vous le regardez comme un objet posé sur le sol... Vous êtes à l'extérieur...
Vous êtes comme une fée avec sa baguette magique
et vous allez, d'un coup de baguette magique, transformer votre corps...
hop !.. vous devenez un enfant... un très bel enfant...
Sentez que d'un coup de baguette magique, vous êtes devenu un enfant.
Cet enfant n'a qu'une hâte: se lever pour aller jouer et courir.
Sentez cet enfant qui se lève et qui sort de la maison...
il court, il saute... il découvre un ballon qui rebondit,
il écoute les oiseaux et regarde autour de lui...
il roule dans le pré puis grimpe aux arbres... il chante...
et, fatigué, il s'assoupit dans l'herbe.
Son chien (ou son animal préféré) vient le lécher, se coller contre lui...
L'enfant se réveille... lui sourit.
Ils partent tous les deux, gambadent, heureux dans le soleil.
Cet animal est magique:
il transforme l'enfant qui devient léger... léger...
Il l'emmène dans l'espace...
Sentez comme vous êtes léger:
vous sautez d'arbre en arbre... de cîme en cîme... vous volez au-dessus des maisons, et plus haut encore...
Vous êtes complètement libre et léger...
Vous rencontrez des oiseaux...
Vous êtes dans le ciel et vous vous posez sur un nuage.
Tiens ! vous voilà assis sur un nuage ! Vous flottez avec lui...
Il devient tout bleu comme le ciel et vous vous nichez comme dans une couette douce.

Le soleil éclaire le nuage et le colore en jaune..
puis en rouge soleil couchant.
Le nuage descend et passe au-dessus des forêts... Il devient alors tout vert.
Le voilà maintenant qui remonte, emporté par le vent..
il se transforme en pluie... il est tout mouillé.
Vous profitez d'un pont-arc-en-ciel pour rejoindre votre ami le soleil...
A côté de lui, vous vous installez dans un beau nuage blanc tout doux, tout chaud...
tout moelleux...
Quand vous avez trop chaud, vous sautez sur le pont-arc-en-ciel
et vous revoilà sous la pluie!
Vous vous rafraîchissez comme sous une douche...
Vous buvez l'eau de pluie... Vous vous gorgez de fraîcheur...
et de nouveau vous sautez sur votre nuage blanc...
Vous flottez..
vous écoutez la musique du ciel...
le silence de l'espace...
Vous faites partie du cosmos...
et vous dansez au milieu des galaxies.
Vous vous laissez fasciner par leur mouvement.
Vous êtes nuage... pluie... planète... élément du ciel... de la terre...
tout vibrant de vie... unique et confondu... infiniment vivant...
Puis... tout émerveillé de la beauté infinie de l'univers... vous retrouvez votre
nuage blanc, chaud et doux...
Votre animal magique se prépare à vous ramener sur terre...
Vous montez sur son dos...
vous êtes encore auréolé de la lumière dorée du soleil...
Et en descendant doucement, vous vous laissez caresser par le souffle du ciel...
Votre animal vous dépose auprès du corps posé sur le sol... Vous savez: le corps de
l'adulte endormi...
Vous vous glissez dedans pour lui faire la surprise...
Vous vous installez bien à l'intérieur...
et voilà l'adulte qui commence à se réveiller...
à bouger ses orteils, ses doigts et l'enfant est installé en lui...
Sentez, ô adulte... comme vous avez maintenant un enfant en vous,
un enfant qui vit en vous et qui toujours vous habitera...
Laissez-le faire...
Bonjour l'enfant ! Merci l'enfant !

---

(4) Ce texte est à faire lire par quelqu'un pendant que vous êtes en relaxation ou à enregistrer
et à vivre; il ne peut prendre sa véritable dimension qu'en état alpha.
(5) Cf. le circuit de la conscience en Yoga-Nidra.

«Je viens parce que je me fais du souci; je suis parfois jaloux. J'aime pas me séparer et je voudrais que mes parents soient ensemble. Voilà, j'ai dit tous mes ennuis». Bertrand, 9 ans.

«Je viens me relaxer pour dormir». Marie, 10 ans.

«Je viens faire de la relaxation car je voudrais ne plus avoir peur des choses qui peuvent m'arriver. Je viens aussi pour écouter, voir, entendre toutes les choses autour de moi, par exemple quand je me promène. Et puis aussi, savoir me détendre comme il faut».
Delphine, 15 ans.

«Je suis venue ici pour essayer de me retrouver. Je ne sais plus rien, je ne suis plus rien. J'ai le sentiment que la Joelle actuelle n'est pas moi, je l'ai perdue mais je ne sais pas où et j'espère qu'en venant ici, je la retrouverai». Joelle, 16 ans.

«Je viens ici pour savoir un peu de quoi est capable mon corps, c'est-à-dire que je ressens ce que je devrais ressentir dans la vie courante. Ici, j'ai confiance en mon corps exactement comme lorsque je danse».
Christiane, 12 ans.

II. RENCONTRER L'ENFANT QUI EST EN FACE DE SOI

Je parle ici de la rencontre de l'enfant *dans le cadre professionnel*.
Je considère l'enfant comme une personne avec laquelle je définis un certain nombre de règles de fonctionnement. C'est ce que j'appelle «le contrat».
Ces éléments peuvent également être utilisés dans la vie quotidienne en classe ou à la maison.

A. LA RENCONTRE INDIVIDUELLE

L'enfant vient faire de la relaxation: un premier échange a lieu (souvent en présence des parents) puis un contrat est établi avec lui: il est parlé et expérimenté, ce qui permet de rassurer, de préciser les attentes et la place de chacun.

Après discussion, un enfant de neuf ans déclare:

«Je viens pour un rééquilibrage».

Que l'enfant joue, dessine ou semble absorbé par son jeu, c'est à lui que je m'adresse en priorité. Il ne suivra pas les séances pour faire plaisir à ses parents. Il choisira lui-même. Pour cela, je lui propose des séances d'essai:

«Tu peux venir goûter la relaxation. C'est comme pour la saveur d'un fruit: une semaine de description ne t'aiderait pas à la connaître mais dès que tu mords dedans, tu sais de quoi il s'agit».

Si l'enfant décide de poursuivre les séances, je l'amène à préciser pourquoi il vient, c'est-à-dire quelle est sa demande. Cette demande responsabilise, elle prépare à l'autonomie et situe la démarche. Selon l'âge, plusieurs exemples peuvent être donnés.

a) Les petits

S'ils ne savent pas l'exprimer, je reformule avec eux ce qui a été dit en présence des parents. Par exemple:
«Tu viens ici pour être plus calme»
ou «pour mieux parler»
ou «parce que tu as envie de bouger en classe et que cela te gêne pour participer ou apprendre à lire»
ou «parce que tu te réveilles la nuit et que cela te gêne ou dérange tes parents
— et tu vas apprendre à sentir les choses autrement».

«Je viens ici parce que j'ai mal au ventre à l'école». Sylvie, 6 ans.

b) Les moyens

Je pose des questions:
   «Est-ce que tu peux me dire pourquoi tu viens ici ?
   Est-ce que tu veux bien l'écrire ?»

Parfois ils écrivent:
   «Je viens parce que ça me plait».
 Alors, je leur demande de préciser:
   «Ca me plait parce que...».
S'il vient «parce que maman me l'a dit», je laisse un délai de réflexion au terme duquel, soit il accepte de venir et se réapproprie la demande, soit il refuse en se sentant responsable de son choix (et non coupable de ne pas venir).

c) Pour les plus grands

Je propose:
   «Tu écris ce que tu viens faire ici, pourquoi tu viens».
ou encore
   «Ce que tu attends de la relaxation, en quoi tu penses que cela peut t'aider».
Il pourra éventuellement emporter la feuille et l'écrire chez lui s'il le désire.

   «But: stopper les problèmes d'élocution: parler librement». Jean, 17 ans.

d) Et les parents...

La relation avec l'enfant s'établit dans le respect de ce que l'enfant vit avec sa famille. Il ne s'agit pas de prendre la place de qui que ce soit (Cf. la relation unique du Petit Prince avec sa rose) et les parents aiment l'entendre préciser. Lorsque l'enfant est jeune, il souhaite parfois la présence d'un de ses parents. Occasionnellement, il peut inviter un parent à participer à la séance (ou un frère ou une soeur).

Le contrat est complété de la manière suivante:
   «Si un jour tu n'as pas envie de venir, tu préviens toi-même. C'est peut-être que les séances ne sont plus nécessaires».
L'arrêt ou l'espacement des séances se décident également en fonction de ce que chacun ressent; par exemple:

   «Maintenant, j'ose dire les choses». dit Valérie, 15 ans.

   «Je ne suis plus triste, mais je voudrais encore venir». Etienne, 9 ans.

   «Maintenant je dors mieux et je voudrais venir seulement tous les quinze jours». J.-B., 12 ans.

e) La rencontre en groupe

Histoire d'une rencontre collective.

Il s'agit d'un stage de «créativité et relaxation» effectué pendant trois jours avec quinze enfants de six à treize ans.
Nous[6] avons considéré que le contrat de départ était comme la caisse du mouton dessinée par Saint-Exupéry, c'est-à-dire le cadre à l'intérieur duquel la créativité et la richesse de chacun pouvaient s'épanouir.

Voici les règles de ce grand jeu de trois jours:
Chacun est joueur, chacun a choisi de venir.
- Au niveau de l'espace, il y a en permanence un lieu calme ou de repos, de retrouvailles avec soi-même. Lorsqu'un enfant ne désire pas participer à l'activité proposée, il se rend librement dans cet espace où il peut lire, se reposer, faire un jeu calme.
- Respect de soi et des autres: «Ici, on ne se fait pas mal (physiquement ou moralement): ni à soi ni aux autres. Si cela arrive, on en parle.
- Sur le plan de l'expression, chacun se sent libre de nommer ses désirs, ses craintes, ses envies, ses idées ou ses absences d'idées, de parler ou de se taire.
- Au niveau matériel. Chaque enfant peut boire, aller aux toilettes selon ses besoins sans demander mais il attend la pause collective pour le repas ou le goûter.
Ces règles sont énoncées et chaque enfant donne son adhésion: «je suis Ok». Cela favorise la conscience du «je peux décider et choisir au cours de ce stage».

Une grande autonomie et liberté de fonctionnement s'est dégagée et quelques malaises ont été analysées par rapport aux règles de fonctionnement. Par exemple à une enfant qui grognait un peu:

«Tu n'es pas obligée de participer.
Est-ce que tu as senti que tu n'en avais pas envie ?
Tu peux aller dans le coin calme».

• La relaxation propose à l'enfant une nouvelle relation avec lui-même: elle le met en contact avec sa capacité d'autonomie (et moi, avec la mienne); nous pouvons l'un et l'autre utiliser cette expérience pour découvrir certains aspects de nous inconnus à ce jour.

---

(6) Nous étions deux adultes.
Les photos du livre ont été prises au cours de ce stage.

DEUXIEME PARTIE

La relaxation et ses outils :

Les supports de la rencontre

Ces quatre chapitres abordent un certain nombre d'éléments concrets pour faciliter la rencontre. Ils ne sont pas destinés à une approche linéaire (à être lus méthodiquement d'un bout à l'autre) mais peuvent servir d'«ingrédients» à la disposition de l'adulte: chaque rendez-vous avec l'enfant sera une création originale.

Dans un repas, le hors d'oeuvre éveille les sens et déclenche tout un processus physiologique, le plat de résistance nourrit. De la même manière, dans la séance:
- les exercices sensoriels ouvrent les portes du corps,
- les postures favorisent la détente et l'intériorisation,
- la respiration transforme la qualité de l'énergie,
- la relaxation propose à l'enfant une véritable rencontre avec lui-même.

Ainsi les éléments qui suivent sont des «outils»: ils peuvent servir de support à la réalisation d'une relaxation. Ils sont proposés pour enrichir la créativité de l'adulte qui se laisse inspirer par l'enfant.

Ils nourrissent le côté rationnel (hémisphère gauche du cerveau) et renforcent l'intuition.

C'est ce qu'il est nécessaire d'oublier, ou plutôt de «digérer» avant toute rencontre avec l'enfant. Comme l'humus favorise la pousse de la graine et disparaît, chaque relaxation est unique, chaque enfant est unique.

CHAPITRE 3

« J'apprends à me relaxer »

La relaxation est une expérience globalisante sur le chemin de la vie. Elle suppose un enseignement progressif jalonné de découvertes et d'émerveillement.

J'apprends à me relaxer

I. JE DECOUVRE LA RELAXATION
A. Je m'installe confortablement
1. Je choisis une position
2. Je voudrais de la musique
3. Est-ce que je dois fermer les yeux ?

B. Je me calme, je rentre à l'intérieur de moi et je sens mon corps
1. Quand tu me fais bouger (mobilisation)
2. Quand tu me touches simplement
3. Quand je m'étire
4. Quand je me contracte et me relâche

C. Je progresse dans la détente
1. De différentes manières
2. J'utilise mes sens
3. Je respire
4. Les images m'aident à être encore plus détendu
5. Je perçois toutes sortes de sensations
6. J'approfondis encore ma détente
7. Je visualise

D. Je reviens à l'état de veille

II. J'EVOLUE AU FIL DES SEANCES
A. Je m'intériorise de plus en plus
B. Je me détends selon ma vitalité
C. Je découvre les symboles
D. Je me relie à l'univers

La relaxation suppose un apprentissage progressif. Elle s'adresse à l'enfant dans sa totalité et agit sur le terrain, non sur la manifestation ou le symptôme. Elle lui permet de rééquibrer son énergie sans la chercher ailleurs.

Le déroulement de la séance peut respecter un certain rite, la progression dans le temps est fonction de l'évolution de l'enfant.

Que puis-je dire à l'enfant ?

A titre d'exemples...

«Je te propose de goûter une nouvelle façon de sentir ton corps, tes sens, la vie qui est en toi».

«Habituellement, tu sens ton corps quand il te fait mal, quand tu fais des efforts, quand tu es bien et que tu as du plaisir».

«Tu sens ton «coeur» quand tu aimes quelqu'un ou quand tu es triste».

«Tu connais les images et les pensées que tu as dans la tête».

«Tout cela, tu vas redécouvrir ici tout cela, et peut-être le sentir d'une autre façon».

«Je vais te parler, mais ce qui est important, ce n'est pas ce que je dis, c'est ce que tu sens, c'est la présence que tu as en toi, ta capacité à être présent, à sentir: cela s'appelle «la conscience». Par exemple, tu marches souvent sans faire attention: c'est machinal, automatique. Tu peux aussi marcher en sentant ce qui se passe en toi, le mouvement, les sensations... cela s'appelle «être conscient».»

«Regarder... respirer... tu le fais naturellement. Tu peux aussi choisir et décider de le faire et tu en seras content.

«Quand je te parle, si je te dis que ton corps est lourd et que tu te sens léger, c'est toi qui as raison. Toi seul sais vraiment ce que tu sens.»

I. JE DECOUVRE LA RELAXATION

A. JE M'INSTALLE CONFORTABLEMENT

Le temps d'installation est très variable: pendant les premières années de sa vie, l'enfant vit spontanément en état alpha; ensuite, il passe rapidement d'un état à l'autre.

1. Dans quelle position ?

L'important est que l'enfant soit à l'aise et se sente en sécurité. Il choisit son coin dans la pièce; il peut utiliser des objets et marquer son territoire: tapis, coussins...

A titre d'exemple, en groupe, chaque enfant s'installe sur un tapis et dit: «ici, c'est la maison de N...» et il cite son prénom, puis il s'installe dans la position de son choix.

S'il souhaite se mettre en boule, c'est possible. Souvent, il croise les jambes: c'est rassurant pour lui. La position allongée ouverte suppose un lâcher-prise auquel il n'est pas toujours prêt, il peut avoir besoin de se protéger.

Progressivement, s'il le désire, il pourra se mettre dans la position théoriquement la plus favorable à la relaxation:
allongé sur le dos, pieds légèrement écartés et ouverts, paumes des mains orientées vers le plafond.

La prise de position peut être facilitée par un étirement préalable allongé sur le sol:

- Plaquer les reins au sol.

- Rentrer le menton contre le sternum (lui montrer sur soi).

- Etirer les jambes: «Tu pousses sur tes talons comme si tu voulais repousser quelque chose».

- Ecarter les épaules et pousser sur les mains «comme si tu voulais repousser quelque chose à droite et à gauche».

L'enfant peut, soit se relâcher après chaque séquence, soit relâcher ensemble bras, menton, jambes et bras.

«Si je ferme les yeux, c'est tout noir.» Jean-Marie, 6 ans.

«J'aime bien rêver en écoutant de la musique.
Ca me calme, après je suis bien.» Samuel, 10 ans.

«Je sens ma peau comme détachée de mon corps,
comme une armure dont je pars en dehors.» Stéphane, 11 ans.

2. Je voudrais de la musique.

Selon le choix de l'enfant ou la proposition de l'adulte, la musique servira ou non de support[1].

3. Est-ce que je dois fermer les yeux ?

L'adulte propose à l'enfant de fermer les yeux; ce n'est pas «obligé»:
«Tu fermes les yeux pour te sentir mieux à l'intérieur de toi».
«Tu fermes les yeux — juste pour sentir — et puis tu peux les rouvrir».
«Tu serres très fort tes paupières pour voir le noir, et puis tu lâches doucement et tu vois le clair».
«Tu sens tes paupières sur tes yeux, légères comme des papillons».

B. JE ME CALME: JE RENTRE À L'INTÉRIEUR DE MOI.

«Tu t'allonges... et tu rentres en toi-même... voilà...»

L'induction se fait à partir d'éléments variés (mobilisations, sensations, contacts, étirements...), mais concrets, physiques, dans le but d'enraciner, d'incarner.

1. Quand tu me fais bouger

- Je touche l'enfant pour l'aider à sentir, mais seulement avec son accord et en sachant que c'est provisoire:
«Je vais toucher ta main pour t'aider à la sentir.
Tu sens ta main... et tu la relâches complètement.
Je la fais bouger pour t'aider à sentir qu'elle est bien détendue.
Tu me laisses faire (un peu comme si tu faisais semblant de dormir) c'est-à-dire que tu ne résistes pas (ta main est toute molle, tu ne la durcis pas), mais tu ne m'aides pas non plus (ce n'est pas toi qui la fais bouger). Voilà».

- Dans un second temps:
«Tu sens maintenant ta main, sans que je te touche».

- Et plus tard:
«Tu sens ta main tout seul, directement: ce n'est plus la peine de la toucher[2]».

---

(1) Voir la musicographie en annexe.
(2) Ce type de mobilisation utilisé notamment par Bergès et Marika Bounès est pédagogique (didactique, évolutif et progressif). Il se distingue de la mobilisation passive et silencieuse de l'ensemble du corps, dans le but de réconcilier l'enfant avec lui-même, notamment celui qui n'a pas suffisamment été touché.

RELAXATION
« Je laisse couler la détente »[*]

«*Tu prends conscience de ta main droite et tu écartes tes doigts.*

Tu sens ce que cela fait dans ta main, dans ton bras et dans tout ton corps quand tu gardes ainsi les doigts écartés.

Puis tu lâches et tu sens ta main, ton bras et tout ton corps.

Tu fais de même avec la main gauche.

Maintenant, tu serres tes doigts les uns contre les autres et tu sens ce qui se passe dans ta main, dans ton bras et dans tout ton corps.

Puis tu te prépares à lâcher, tu te prépares à sentir ce qui va se passer.

Tu es conscient, tu es présent... tu lâches et tu sens...

Tu fais de même avec la main gauche.

Maintenant, tu colles bien les orteils du pied droit (ou au contraire tu les écartes)... et puis ceux du pied gauche

et tu sens ce qui se passe dans tes pieds, tes jambes et tout ton corps.

Attention... tu te prépares à lâcher...

Tu lâches et tu sens...

Voilà...

Maintenant tu imagines que tu écartes les orteils, mais tu ne le fais pas en vrai

et tu sens ce qui se passe en toi quand tu fais cela mentalement.

Et puis tu lâches... tu relâches tout ton corps;

Tu sais maintenant comment relâcher ton corps.

Tu connais un nouveau moyen de détente.

———————————

(*) Inspirée de la méthode Jacobson.

2. Quand tu me touches

J'utilise ce que l'enfant apporte:
- par exemple: une petite voiture:
    «Je fais rouler la voiture sur ta jambe droite... maintenant tu sens sur ta jambe la voiture qui roule (sans que je le fasse en réalité).
- par exemple: des billes:
    «Tu sens les billes (ou un crayon, un robot...) posées sur ton pied droit. Maintenant tu continues à les sentir même quand je les enlève.

> • *La progression peut se résumer ainsi:*
> - *première étape: toucher, nommer, sentir*
> - *deuxième: nommer et sentir (sans toucher)*
> - *troisième: nommer, sentir, lâcher.*

3. Quand je m'étire

«Tu inspires (tu prends l'air... tu mets l'air en dedans[3]) en étirant les jambes. Tu expires (tu laisses partir l'air... Tu mets l'air dehors[3]) en lâchant.»

4. Quand je me contracte et me relâche

Tenir la main ouverte ou les orteils écartés met en jeu une contraction suffisante pour que l'enfant sente réellement les tensions et son corps non détendu.
Puis il passe à l'étape suivante: sentir la détente sans bouger. Voir la relaxation ci-jointe.

C. JE PROGRESSE DANS LA DÉTENTE

1. De différentes manières

La progression dans le corps s'effectue différemment selon l'enfant et selon le moment dans les séances.
- Un rêveur, un enfant «tête en l'air» peut être «ramené sur terre» grâce à la sensation des pieds, des orteils...

---

(3) Important : au début, l'utilisation de plusieurs formules permet à l'enfant de repérer le mot juste et sa signification; ensuite, il suffira de lui dire: «Tu inspires.» L'enfant acquiert ainsi une force supplémentaire: il s'unifie; son vocabulaire est enraciné; le mot est vécu dans son corps.

6. J'approfondis encore ma détente

Quelques éléments issus de la technique «Alpha» ou de la sophrologie permettent d'accéder à un niveau plus profond de relaxation.
- Visualiser les couleurs de l'arc-en-ciel: du rouge au violet.
- Descendre un escalier: compter les marches (de 5 à 0).
- Passer une porte.
- Passer à travers le tapis et se transformer en personnage, animal, élément de la nature...
- Claquer des doigts...

7. Je visualise

En relaxation, la visualisation est proposée ou suggérée: ce processus permet de vivre dans l'imaginaire ou mentalement. C'est l'exploration d'un espace intérieur auquel seul l'enfant a accès, dans la mesure où c'est complètement personnel et difficile à partager.
La visualisation ne correspond pas obligatoirement à une perception physique, sensorielle de la réalité.
L'évocation de l'image se fait par la totalité du ressenti: c'est un état vibratoire qui n'est pas nécessairement lié à la vue (le «je ne vois rien» ne signifie pas absence de visualisation - voir p.223).
Voici quelques formules pour induire la visualisation:
«... Tu vois... tu entends... tu imagines dans ta tête... tu sens comme si... tu découvres... tu te transformes en... tu deviens...»

Et quelques mots en réponse par les enfants:

«Je sens l'arbre en moi...»

«Je me dessine dans la tête ce que tu dis..»

«J'ai rêvé de...»

«C'est comme si c'était vrai et je savais que c'était pas vrai...»

Au niveau corporel et affectif, les effets sont identiques: l'enfant ressent «comme si c'était vrai» et l'énergie se libère comme si l'action était réelle.

D. JE REVIENS À L'ÉTAT DE VEILLE

Il se fait selon le même type de processus que l'induction au calme.
- Reprise de contact avec les sensations, les bruits extérieurs, les odeurs...

«Tu vas maintenant sentir que tu es ici dans la pièce... allongé sur le sol...
Tu écoutes les bruits de la pièce...
Tu sens tes vêtements sur la peau...»

«Je vais compter jusqu'à 5 et, à 5, tu ouvriras les yeux et tu seras bien réveillé.
Tu respires... tu respires plus fort et tu t'étires comme un chat qui se réveille...
Tu gardes le temps que tu veux la position qui te plaît avant de t'asseoir.»
Dès que l'enfant a fait quelques séances, je lui laisse son autonomie:
«Tu sentiras à quel moment tu désires arrêter ta relaxation et tu pourras
alors respirer et t'étirer... Tu as tout le temps que tu désires...»

L'enfant passe très rapidement de l'état de relaxation à l'état de veille et,
souvent, il interrompt sa relaxation spontanément: il bouge ou se met à parler;
ou il ouvre les yeux après la visualisation, ou même au milieu, et dit:

«Voilà... c'est fini...»

II. J'EVOLUE AU FIL DES SEANCES

Dans l'abstrait, la question peut se poser du thème ou de la progression à
choisir. En réalité, l'écoute de l'enfant donne un fil conducteur qui peut être
facilement confronté à un objectif réfléchi.

- Souvent l'enfant suggère le thème au cours des exercices corporels et sensoriels:
j'observe ses réactions, les mots qu'il utilise, les positions qu'il prend.
- Parfois, je lui demande son avis:
     «Dis-moi quelle relaxation tu souhaites.»

- Après quelques séances:
     «Qu'est-ce qui te dérange en ce moment, qu'est-ce qui te préoccupe ?»
     ou
     «Qu'est-ce que tu ne sens pas bien, qu'est-ce que tu voudrais améliorer ?».

Voici quelques exemples:

     «Il y a des fois où j'ai encore un peu peur; je n'ose pas».Noémie, 10 ans.

Je lui propose alors une relaxation sur les forces intérieures.[6]

----

(6) Voir p.149

RELAXATION

« L'oiseau de lumière »

Mettre l'enfant en état de relaxation*.

«Tu imagines que ta conscience s'envole au-dessus de toi comme un oiseau, un oiseau qui plane dans l'espace.
Il monte dans le ciel, léger comme l'air.
Il s'élève vers le soleil...
Le voici, éblouissant de soleil, de plus en plus large, de plus en plus léger, de plus en plus transparent.
Brillant comme l'or, il se laisse porter par l'immensité de l'espace.
(Silence).

Doucement, il se laisse redescendre tout rayonnant vers les nuages qui l'éclairent et le colorent.
Il redescend vers toi, vers ton corps tout calme sur le sol.
L'oiseau de lumière pénètre à l'intérieur.
Il illumine ton coeur, tes pensées, ton ventre, tes bras, tes jambes, tout ton corps dans ses moindres recoins.
Tu laisses ta lumière se diffuser à l'intérieur de toi.
Et tu laisses la lumière rayonner autour de toi».

Faire revenir à l'état de veille.**

---

* Voir p.65-67
** Voir p.76

«Je n'aime pas quand les choses se finissent[7]». Rachel, 13 ans.

Je crée alors une relaxation où la nuit succède au jour, les vagues vont et viennent.
Je lui fais découvrir la respiration avec des temps d'arrêt; le temps d'arrêt à plein permet de profiter de ce qui vient d'être vécu, et le temps d'arrêt à vide est pour se préparer à quelque chose de neuf: l'air qui va venir en soi.[8]
Je travaille sur les passages[9].

- Le thème peut être proposé en fonction du symptôme: fluidité (eau-air) pour un enfant qui bégaie; souvenir de joie pour un enfant triste...

- Il y a des moments-clés dans le déroulement des séances: moments de passage ou de bascule.[10]

En relaxation, l'enfant explore son univers intérieur à un niveau de plus en plus subtil.
Il communique spontanément et de manière juste avec son «moi des profondeurs[11]».

A. JE M'INTÉRIORISE DE PLUS EN PLUS[12]

La progression peut aller du plus concret au plus subtil.
Au départ, l'enfant apprend à sentir et à observer son corps. Il a davantage besoin d'être rassuré face à l'inconnnu. La détente est favorisée par le contact, la mobilisation, la contraction et le mouvement. La relaxation concerne davantage les muscles, les articulations, les sens.

Puis le senti se fait directement, dans l'immmobilité et la relaxation concerne les perceptions corporelles.

L'enfant apprend à ne s'identifier, ni à son corps, ni à ses pensées, ni à ses sentiments: il découvre l'élargissement de la conscience, la légèreté... la transparence... la lumière et l'état de témoin.

Il peut alors se sentir «autre» ou «plus» que ce corps. Il apprend à ÊTRE. Il rencontre le divin qui est en lui, à la source de son être.

---

(7) Il y a un rappel de cet exemple p.193
(8) Voir p.125
(9) Voir p.26 - 157
(10) Voir p.26 - 157
(11) Jacques Donnars: *«Vivre»*. Collection Le corps à vivre. Tchou.
(12) Voir p.76

RELAXATION

«Le lever du soleil»

Installer l'enfant en relaxation. *

«Tu imagines maintenant que c'est le matin, de bonne heure; il fait presque encore nuit et tu as décidé d'aller voir le lever du soleil; tu t'es levé très tôt pour cela.

Voilà. Tu sens bien. Tu pars tout seul. Tu te sens fort.

Tu marches. Sens bien que tu marches.

Tu montes pour aller voir le lever du soleil.

Tu regardes autour de toi. Il fait encore frais et là-haut dans le ciel, tu le vois s'éclairer.

Quand tu regardes derrière, c'est sombre.

Il y a encore des restes de la nuit et tu sens que le soleil va se lever.

Tu te dépêches de monter.

Tu te sens très léger.

Tu montes sans fatigue comme si tes pieds te portaient tout seuls.

Et voilà. Tu arrives au sommet, juste au moment où le soleil se lève.

Et tu sens le soleil qui se lève; tu le vois.

Tu vois l'air tout vibrant autour et tout s'éclaire, tout rayonne.

Et tu arrives à regarder le soleil... mais très peu de temps.

Et tout de suite, le soleil monte. Tu as l'impression que ça va très vite.

Tout s'éclaire autour de toi. Et tu commences à ressentir la chaleur dans ton corps.

Tu es heureux. Tu as l'impression que le soleil se lève aussi à l'intérieur de toi.

Et tout le paysage chante, et tout ton corps chante. Et tu redescends en chantant.»

Faire revenir l'enfant à l'état de veille. **

* Voir p.65 - 67
** Voir p.76

B. JE ME DÉTENDS SELON MA VITALITÉ

1. Je déborde d'énergie

Dans cette hypothèse, l'enfant a tendance à se disperser, à s'éparpiller. Plutôt actif et combatif, c'est un enfant qui pourrait devenir agressif. Il peut également être qualifié d'«enfant nerveux».
Je choisis:
- des relaxations qui utilisent le mouvement, soit en réel, soit en imaginaire:
        - «je laisse couler la détente»[13]
        - relaxation coréenne[14]
        - relaxation qui concerne des voyages.

- des relaxations qui recentrent:
        - «la tortue»[15]
        - promenade à l'intérieur de soi : «La Fête des Fleurs».[16]

- Les couleurs qui calment:
        bleu, rose, vert.

- Les sensations:
        lourdeur — chaleur.

2. Je suis trop calme, je manque d'énergie

C'est un enfant à tendance lymphatique: lent, passif, trop conciliant.
J'utilise de préférence:
- les relaxations qui dynamisent:
        - respirations tonifiantes
        - promenades dans la nature

- les relaxations qui tonifient et extériorisent:
        - «le ballon de baudruche»
        - l'union aux éléments (terre, feu, air, eau).

- les couleurs qui dynamisent:
        jaune, orange, rouge.

---

(13) Voir p.68
(14) La relaxation coréenne de Rischi
(15) Voir p. 215
(16) Voir p.224

Il favorise la rencontre de plans de conscience différents en reliant l'enfant aux éléments de l'univers et en l'ouvrant aux dimensions spirituelles.

Le symbole aide l'enfant à être lui-même, c'est-à-dire qu'il renforce son sentiment d'identité.

Par exemple: le symbole du lion.
Il s'agit moins pour l'enfant d'aller vers l'extérieur et de s'identifier au lion que de trouver en lui les valeurs symboliques du lion: force, puissance, royauté, capacité à gérer, maîtrise.

> • *En proposant un symbole en relaxation, je réveille une énergie vitale, une qualité d'échange, une dimension inexplorée chez l'enfant: je lui offre la clé de portes; à lui de la recevoir et de s'en servir s'il le désire.*

Mais il les trouve souvent seul au cours de la séance: le symbole surgit naturellement. Par exemple:

> «J'ai vu un soleil»

> «J'étais une fleur»...

Le symbole est reçu par l'enfant au niveau où il est; son effet m'échappe totalement.

Exemple vécu par un enfant de 8 ans venu en relaxation pour un problème d'inhibition.
Au cours des premières séances, je lui propose, durant la relaxation, de se transformer en animal; il me raconte alors qu'il est un lion dans un zoo.

«Pourquoi dans un zoo ?

— Parce que là, au moins, on me donne à manger et je ne risque pas de me faire attaquer par les autres».

Après sept ou huit séances, il arrive un jour en me proposant à nouveau d'être un animal, mais cette fois-ci, physiquement, dans la pièce, il joue le lion en liberté qui saute sur sa proie.

J'évoque en relaxation les symboles que je sens le mieux avec des mots destinés à favoriser la libération de leur énergie ou de leur force. Je les vis en fonction de l'enfant, de ma relation avec lui, ainsi que du moment de l'année et de la journée.

D. JE ME RELIE À L'UNIVERS

Enfin, l'évolution des thèmes peut s'inspirer des grandes étapes proposées dans la troisième partie: la relaxation pour se relier à l'univers:
- dans son mouvement vertical *(chapitre 7)*
- dans sa dimension horizontale *(chapitre 8)*
- dans sa rondeur finie - infinie *(chapitre 9)*.

Certaines techniques de relaxation préconisent une progression type à respecter systématiquement: par exemple, le Yoga Nidra, le training autogène de Schutz, la relaxation progressive de Jacobson, la biosynergie.

>*•La «relaxation évolutive[22]» ne souhaite ni répétitivité, ni système: elle fait émerger la créativité, chaque séance, chaque «cure» étant nouvelle et inédite.*

---

(22) Méthode enseignée à l'I.S.T.H.E.M.E., Ecole de Formation de Relaxologues Ajna.

CHAPITRE 4

« Je découvre mon corps

par le mouvement »

La posture corporelle est une forme, une manifestation physique de l'état d'être. Résultant de la mise en mouvement du corps en lien avec la respiration et l'énergie, elle influence toute rencontre.

Je découvre mon corps par le mouvement.

Je prends naturellement toutes sortes de positions surprenantes...

I. LA POSITION NATURELLE

«J'utilise ce que j'ai (mon corps) pour dire qui je suis.»

II. BUT DE LA POSTURE

«J'apprends à me servir de mon corps selon mes besoins.»

III. LES EFFETS

«Ayant à ma disposition toute une gamme de positions, j'accorde plus facilement mes sentiments, mes pensées, mes gestes et mes mouvements.»

IV. PRATIQUE OU REALISATION DES POSTURES

«Je me sers de mon corps comme d'un instrument à découvrir et à jouer.

A. Je refais connaissance: je l'observe et le sens.

B. L'adulte me propose des «postures» pour mieux le percevoir et l'utiliser.»

La posture naturelle ou l'attitude dépend de la qualité et de la puissance de la respiration. Un peu à l'image du ballon de baudruche qui se modifie en fonction de la force du souffle et de l'élasticité du caoutchouc, il y a interdépendance entre les deux: le souffle étire et anime le corps; mais plus le corps est souple, plus l'air pénètre facilement au niveau de chaque cellule.

I. LA POSITION NATURELLE DE L'ENFANT

«Je prends naturellement toutes sortes de positions surprenantes...»

L'enfant utilise naturellement son corps comme instrument de communication avec les autres, le monde qui l'entoure et lui-même.
Son attitude physique manifeste ce qu'il vit:
- son état intérieur sous-tend et détermine sa posture corporelle,
et réciproquement,
- la manière dont il se tient et dont il vit son corps agit sur l'état intérieur et influence sa communication avec le monde et avec lui-même.

- Si l'enfant garde naturellement une position ouverte ou fermée, cela a un sens.

- Si l'enfant n'arrive pas à prendre certaines positions, cela a un sens.

- S'il penche en avant, en arrière... prend davantage appui sur un pied ou sur l'autre, cela a un sens.

> • *La relaxation ne vise pas à connaître ce sens ou la raison de cette attitude, mais à libérer la mobilité corporelle, à favoriser le passage d'une position à l'autre et la conscience d'un choix possible entre différentes attitudes corporelles.*
> *L'essentiel est de retrouver la spontanéité.*

«Tu sens en toi l'énergie: c'est comme l'électricité qui fait fonctionner un moteur et tu vas apprendre à l'utiliser, la canaliser, la rassembler, la faire jaillir, l'économiser...

Pour commencer, tu la découvres et tu sens sous quelle forme elle se manifeste; c'est un peu comme l'eau qui peut être

    un ruisseau qui coule,

    de la pluie qui tombe,

    de la vapeur qui monte,

    de la glace qui se fige,

    un lac calme et immobile,

    une cascade bruyante et pleine de force

    ou un torrent...

Observe ton énergie et sens ce qui te fait fonctionner...»

B. L'ADULTE ME PROPOSE DES POSTURES POUR MIEUX PERCEVOIR ET UTILISER MON CORPS

Lorsque je rencontre l'enfant, je renforce mon intuition par des connaissances plus techniques et par l'analyse du vécu de mon propre corps. Le mouvement agit différemment selon son origine (s'il est issu du centre, de l'avant, de l'arrière, du haut, du bas) et selon son déroulement: l'enfant s'étire, se recroqueville, se penche en avant, en arrière, se tourne et se tortille; c'est ce que l'adulte pourrait appeler flexions, extensions et torsions.

- La position debout correspond au mouvement: l'enfant se sert spontanément de ses jambes pour marcher, courir, sauter. Si je lui propose l'immobilité relative, c'est dans un but précis:

«Tu sens ton corps debout, tu te détends.

Est-ce que ça tourne ?

Est-ce que ça bouge en toi ?

Est-ce que tu as tendance
à partir vers l'avant, vers l'arrière ?»

- Ce qui est rond vers l'avant (que ce soit debout, assis ou couché) ferme, calme, intériorise et rassemble avec une idée de douceur et de féminité. Ce type de posture met l'enfant en contact avec l'énergie de la terre. Je peux également attirer son attention sur le dos qui s'ouvre pendant que l'avant est fermé. Je lui propose de communiquer avec l'extérieur à partir d'un centre, d'une sécurité, d'une force intérieure.

- Tout ce qui étire et grandit ouvre à la relation au monde, énergétise: ces postures essentielles pour la vitalité et le tonus favorisent l'expansion vers le ciel.

- Les torsions et les rotations développent la mobilité, la fluidité, l'indépendance de chaque partie du corps, spécialement des muscles et du squelette. Elles améliorent le mouvement et mettent en relation avec l'univers (rotation de la terre, des planètes...).

- D'une manière générale
    - tout ce qui mobilise la colonne vertébrale concerne l'axe de vie et libère une énergie fondamentale
    - la mise en jeu des membres supérieurs et inférieurs ouvre à l'espace et donne ampleur et mouvement à l'axe vertical.

- Les rotations des poignets et des chevilles
activent la circulation de l'énergie.
Proposées comme un jeu à l'enfant
couché en croix de St André
(donc sans voir ce qu'il mobilise),
elles sont simples et efficaces.

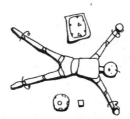

- Les équilibres stabilisent, donnent une qualité de présence à soi-même et des perceptions accrues[3]. Ils supposent une certaine intériorisation et développent la concentration. Ils peuvent se faire à l'aide de matériel (planches, bois en demi-cercles, etc.) ou spontanément inventés par l'enfant — ou encore proposés comme un enchaînement appris.

- Les postures avec pieds au sol sont confortables: elles installent l'enfant, lui donnent un certain poids, reliant les dimensions physiques et psychiques de l'être.

- Les postures inversées se jouent de la norme
et donnent un autre regard sur le monde
(Exemple : l'image du film «Le cercle des poètes disparus»:
monter sur la table pour avoir un autre regard sur le monde,
pour changer de point de vue).
Elles reposent la tête pensante et dynamisent le corps.

L'alternance de ces deux types de posture donne vie, joignant sérieux et fantaisie, ce qui correspond à la double qualité de l'enfant, sagesse et légèreté.

---

(3) Voir p.103 et 178

Le diamant.
C'est une attitude de recueillement et le mot «diamant» possède en lui-même une grande force.

A genoux, assis sur les pieds,
le dos droit sans raideur (rectitude souple).
«Tu imagines que tu es un diamant
et tu te laisses traverser par la lumière.
Tu es précieux, résistant, transparent, éternel.
Tu te laisses traverser par la lumière.
Tu écoutes le silence en toi.»

La feuille pliée.
Souvent appréciée par les enfants qui aiment se mettre en boule. A l'image d'une maison dans laquelle on s'enferme pour être bien chez soi.

«Tu es à genoux, les fesses posées sur les talons
et tu laisses ton dos se pencher vers l'avant
jusqu'à ce que la tête touche le sol.
Tu mets tes bras le long du corps.
Tu relâches complètement en laissant
ta poitrine bien se poser sur les genoux
et puis tu écoutes ta respiration.
Tu te sens chez toi dans la maison de ton corps.»

2 - Pour se vider et lâcher les tensions: «les pantins».

- hausser les épaules en disant «j'm'en moque».

- debout, les bras ballants, faire des petits sauts
    sur la pointe des pieds tout en haussant les épaules,
    les bras complètement relâchés et en disant «j'm'en moque»...
    Le corps est souple, tandis que la pointe des pieds
    et les épaules semblent montées sur ressorts.

- secouer les mains comme pour se libérer d'une pâte à gâteau qui colle.

- jouer au lion qui rugit.

- marcher consciemment[5].

---

(5) Voir p.104, 177, 178

- lancer un caillou ou, selon le lieu,
    un ballon de baudruche et prolonger le geste.

- devenir comme un bonhomme de neige qui fond
    et se transformer en flaque d'eau.

- tomber au son de la flûte à coulisse.

- Le feu d'artifice de couleurs:
Inspir: serrer le poing pour prendre son élan avant de lancer sur l'expir (en imagination) un feu d'artifice de couleurs et le regarder se déployer dans l'espace. A réaliser avec chaque main, puis les deux ensemble.

3 - Pour dynamiser ou tonifier:

- rebondir comme un ballon

- sauter de toutes les manières:
    comme la grenouille, le kangourou, etc.

- se grandir en s'étirant comme un élastique.

4 - Pour équilibrer:

- les équilibres
Tous les équilibres debout concernent la verticalité[6].
Certains équilibres sont reliés à la respiration.

- «Le grand calme»

Inspir: lever les bras à l'horizontale.   )
Expir: les ramener.   )   Deux fois.

_____

(6) Voir p.178

103

RELAXATION

La Naissance du Souffle

Mettre l'enfant en relaxation.*

«Tu sens la respiration qui donne vie à ton corps.

Tu imagines maintenant la création du monde.

La terre est vide; il y a seulement de l'eau et des montagnes. Le souffle se promène à la surface de l'eau comme le vent et la vie jaillit dans la mer.

Tu vois apparaître des poissons, des algues, des bulles dans l'eau.

La respiration de l'univers donne un mouvement à la terre.

Le souffle de vie se promène et les plantes apparaissent.

Tu vois des taches de couleurs dans le paysage, de la verdure, des fleurs...

La lumière des couleurs te réjouit.

Le souffle de vie réveille toute la terre qui s'étire.

Chaque pierre, chaque arbre, chaque oiseau chante, animé par le souffle de vie. Et tu sens la naissance du souffle dans ton ventre comme un arbre qui prend racine.

Le souffle naît dans ton ventre et monte donner vie à tout ton corps.

Le ventre est la source du souffle.

Il donne les couleurs du corps, les sensations, le mouvement.»

Après un temps de silence, ramener l'enfant à l'état de veille.**

---

* Voir p.65-67
** Voir p.76

D. JE SUIS TOUT SIMPLEMENT PRÉSENT À MA RESPIRATION

«L'air rentre. Tu le sens, c'est l'inspir.
L'air ressort, tu le sens, c'est l'expir.
Dès qu'il est rentré... il ressort.
Dès qu'il est sorti... Il rentre à nouveau.
L'inspir succède à l'expir, l'expir succède à l'inspir, comme le jour succède à la nuit et la nuit succède au jour.»

Autre formulation:

«Dès que l'air est sorti, tu as besoin d'air.
Dès que l'air est rentré, tu as besoin de te vider.
L'inspir appelle l'expir; l'expir appelle l'inspir, comme les vagues de la mer qui s'en vont et s'en viennent sans arrêt.
Tu te glisses dans le mouvement de ta respiration comme tu te laisserais bercer par le rythme de la mer.
Tu te laisses bercer par ta respiration sans la déranger, sans la modifier.
Tu es bien vivant.»

E. EN RELAXATION, JE FAIS CONNAISSANCE AVEC MA RESPIRATION

«Tu sens l'air au bord des narines et peut-être même à l'intérieur des narines.
Tu sens si tes narines sont rondes ou pincées.
Tu sens les muscles qui se contractent (se durcissent) et se relâchent (se détendent) dans ton ventre, dans ton dos, dans ta poitrine.
Tu sens le mouvement des os dans la cage thoracique (les côtes, les vertèbres, le sternum, les omoplates), dans le bassin.
Tu découvres le mouvement, la durée de l'inspir et de l'expir, le rythme; tu te laisses bercer.»

II. JE LOCALISE ET DEVELOPPE MA RESPIRATION

A. DANS MON VENTRE

La respiration abdominale anime les forces de vie les plus physiques; c'est la respiration du nouveau-né, c'est un bercement, un repère. La respiration abdominale de la mère berce l'enfant avant sa naissance. Le ventre symbolise un certain niveau d'existence le plus élémentaire: les besoins de nourriture, de sensations... Là se trouve la première sécurité.

• La respiration abdominale donne vie à toute cette dimension. Elle incarne et enracine. Elle donne un socle. C'est la source du souffle.

Elle peut être bloquée chez des adolescents comme pour enfermer une énergie trop puissante. La respiration reviendra en son temps.
L'adulte propose une découverte. L'enfant accueille ce qu'il est en mesure de recevoir.

1. Je suis présent

«Tu sens ton nombril qui monte et qui descend,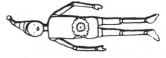
qui s'ouvre et qui se ferme comme une fleur,
qui se contracte et se relâche.
Tu sens à l'intérieur de ton ventre tout ce qui bouge;
ce sont les muscles et les organes.
Tu sens ton dos, ton bassin : ils touchent le sol différemment à l'inspir et à l'expir.
Tu perçois un léger mouvement dans le bas de ton dos.
(Globaliser). Maintenant tu sens tout ensemble : le dessous, l'intérieur, le dessus (relié aux narines).
L'air entre par les narines, le ventre se gonfle, se remplit.
L'air sort par les narines, le ventre se dégonfle, se vide.
Tu sens ton ventre comme une force, un moteur qui donne à ton souffle des racines.

Alors, il peut croître et se déployer dans l'espace.

«Je vois mon nombril mais je ne le sens pas».

Dans ce cas-là, je commence par faire bien toucher le nombril par l'enfant et, éventuellement, pendant toute la relaxation, il garde sa main dessus pour ne pas être uniquement dans l'imaginaire ou le visuel, et pour avoir conscience de son corps dans le contact et la sensation physique.[1]

2. Je développe ma respiration[2]

- Allongé sur le dos, poser les mains sur le ventre ou sur un coussin (un sac rempli de céréales).

_____

(1) A ce sujet, voir p.223
(2) Ces exercices sont à intégrer dans une dynamique ou un jeu selon la situation.

27

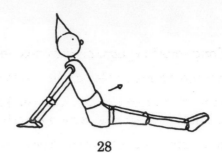

28

29

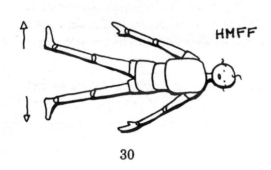

HMFF

30

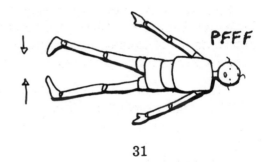

PFFF

31

32

33

34

- Allongé sur le ventre pour mieux découvrir la dimension dorsale (le dos bouge).

- Assis en appui sur les mains. *(dessins n 27-28)*

- Expiration forcée. A la fin de l'expiration, rentrer le ventre et serrer les fesses puis laisser l'inspir se faire naturellement.

- En feuille pliée, se concentrer sur le ventre au centre.

- A quatre pattes, lâcher le ventre en inspirant, le ramener vers la colonne vertébrale en expirant.

- Assis en tailleur, bras qui se croisent, une main sur chaque genou. *(dessin n 29)*

- Souffler sur la main en faisant «ah !» comme pour faire de la buée, bouche bien ouverte (souffle chaud).

- Allongé, ouvrir les pieds sur l'inspir, les fermer sur l'expir; pour libérer la respiration dans le bas-ventre. *(dessins n 30-31)*

B. DANS MON THORAX

La respiration thoracique est en relation avec les émotions, les sentiments et le coeur, centre de l'être. L'ouverture des côtes favorise la libération des émotions. Si le thorax est bloqué par l'angoisse et l'anxiété, l'enfant peut apprendre l'expiration progressive.

> • *Il lâche peu à peu ses défenses et retrouve une confiance en lui qui prend ses racines au centre de lui-même plutôt qu'à la périphérie (si la cage thoracique est bombée comme une armure).*

1. Je suis présent

«Tu sens le mouvement de tes côtes de chaque côté, devant, derrière, puis tout autour» (cela provoque assez souvent un soupir).
Je propose de sentir comme deux étages différents: l'un juste au-dessus de la taille, l'autre au niveau de la poitrine.
- Le premier correspond à la respiration costale basse:
«Tu descends le long du sternum (lui faire toucher), puis tu arrives au plexus solaire.
Tu places tes mains de chaque côté, les pouces dans le dos.
Tu sens l'élasticité de ces côtes flottantes.
En respirant sous tes mains, tu les sens s'élargir à l'inspir et tu les aides à se resserrer à l'expir.
Maintenant, tu sens le mouvement sous ta main droite seulement: bien sous

les doigts et sous le pouce.

Puis tu enlèves tes mains et tu respires toujours à droite (comme si tu avais encore la main posée là).

Tu sens comment est ton côté droit: est-il différent du gauche ?

Puis tu places ta main gauche sur ton côté gauche et tu fais de même.

- Au niveau de la poitrine, se situe la respiration costale moyenne: je place une écharpe au niveau de la poitrine, nouée assez lâche autour du tronc : lorsque l'enfant respire, le noeud se desserre.

2. Je développe ma respiration

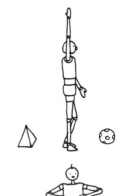

- Debout. A l'inspir, lever le bras droit.
Les côtes s'ouvrent comme un accordéon.
A l'expir garder la position.
A l'inspir suivant, tendre un peu plus le bras.
A l'expir, maintenir la position.
A l'inspir suivant, sentir l'ouverture maximum
des côtes favorisée par le bras qui s'étire encore plus.
Redescendre doucement à l'expir
et prendre conscience de la différence de sensation
entre les deux côtés, avant de faire le mouvement à gauche.

- Respirer en sentant l'élargissement
des côtes à droite et à gauche
(mains placées latéralement).

- Pour améliorer la capacité respiratoire:
Expirer en vidant à fond la cage thoracique.
Fermer la bouche et le nez puis ouvrir les côtes en faisant le mouvement d'inspirer (sans prendre d'air),
puis laisser l'air entrer par le nez.

- Affinement des perceptions:
«Lorsque tu inspires, tu sens ton thorax comme un cercle qui s'agrandit.
Lorsque tu expires, tu sens tes forces qui se rassemblent au centre du thorax comme un noyau plus dense.
Inspir: ton thorax s'élargit dans l'espace.
Expir: tes forces se recentrent.»

C. SOUS MES CLAVICULES

La respiration haute dynamise les facultés mentales (intelligence, attention, concentration) et spirituelles.

• *Moins importante en volume et en quantité,*
c'est la respiration qui aère le cerveau.

1. Je suis présent

Elle se situe en haut de la cage thoracique sous les clavicules, comme au sommet.

«Tu poses tes mains sur le sternum et tu peux même sentir un peu cette respiration dans ta gorge.
Tu places les doigts sous l'articulation des épaules et tu sens que cela se gonfle à chaque inspir.
Maintenant je pose mes mains au-dessus de tes omoplates et tu perçois également un léger mouvement.
Tu sens tous ces points qui respirent ensemble.» *(dessin n 32)*

C'est une respiration fine et délicate.

2. Je développe ma respiration

- Assis en tailleur, mains à l'aine, tendre les bras (pour relever les épaules et libérer la respiration haute) et respirer. *(dessins n 33-34)*
- Respirer avec les mains derrière la tête en écartant suffisamment les coudes vers l'arrière. *(dessin n 41)*
- Faire de petites respirations courtes (halètement).

D. LA RESPIRATION DORSALE

• *Elle ouvre le dos, le masse et libère une dimension nouvelle.*

Elle fait découvrir une partie du corps peu connue puisqu'elle ne se voit pas et qu'elle est difficile à toucher.

1. Je suis présent

Par deux, l'un en feuille pliée, l'autre pose les mains de chaque côté du bas du dos (sous la taille) et attend que le souffle vienne se placer sous ses mains.
Puis il se place sur la colonne vertébrale pour percevoir le léger mouvement de la respiration sous les vertèbres, la colonne s'étire sous le passage du souffle.
Et il poursuit ainsi la montée, à droite, à gauche et sur la colonne vertébrale jusqu'aux clavicules. *(dessin n 42)*

41

42

43

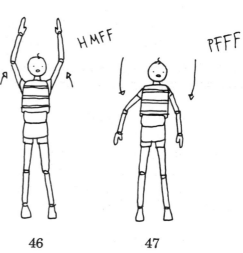

HMFF

HMFF

HMFF

PFFF

44

45

46

47

48

2. Je développe ma respiration

- En feuille pliée, faire monter le souffle depuis le bas du dos jusqu'en haut en imaginant que le dos s'ouvre à l'inspir

«comme une coccinelle qui déploie ses ailes», dit Marie,

et qu'il se ferme à l'expir (comme si les ailes se reposaient).
- Debout, mains posées sur les reins, respiration dorsale basse. Cette respiration favorise la pause de la voix et l'émission des sons. Elle donne de l'assurance. *(dessin n 43)*

E. JE FAIS MONTER MA RESPIRATION DE BAS EN HAUT

La respiration complète fait le lien entre les quatre respirations précédentes. Partant du ventre, le souffle monte à l'inspir jusqu'aux clavicules et redescend avec l'expir.

> • *Harmonisant la fonction respiratoire, c'est une douche intérieure, un grand bol d'air pour les poumons.*

Elle libère l'énergie au niveau du coeur et du plexus solaire.
Agissant sur tout le système nerveux, elle unifie et détend.

1. Je suis présent

«Tu inspires dans ton ventre et tu laisses monter l'air jusqu'aux épaules.
Puis tu laisses l'expir redescendre tranquillement.»
Pour favoriser l'amplitude et bien repartir de l'abdomen : rentrer légèrement le ventre à la fin de l'expiration; il ressort tout naturellement avec l'inspir.

2. Je la développe

• Sur le plan physique
- Respiration en paliers: elle permet d'allonger soit l'inspir soit l'expir. Première formule: inspirer en trois temps de la manière suivante: inspir - arrêt - inspir - arrêt - inspir - arrêt. Expirer longuement en un seul temps. Deuxième formule: inspirer en un seul temps et expirer en trois temps.

- Cette respiration peut être associée à un geste : lever les bras en trois temps au rythme de l'inspir en marquant des pauses au moment des arrêts respiratoires et puis les redescendre lentement en liaison avec l'expiration. L'enfant apprend à maîtriser son souffle puisqu'il doit doser chaque temps. *(dessins 44 à 47)*

- Cette respiration peut être liée à une localisation. Premier temps d'inspir au niveau du ventre, deuxième au niveau des côtes, troisième des clavicules. Expiration libre et continue.

- Respiration comptée[3]:
A titre d'exemple: un-deux pour le ventre; trois-quatre pour le thorax; cinq-six pour les clavicules. Laissez l'expir libre.
Lorsqu'elle est profonde, la respiration complète favorise le baillement et le soupir.

• Sur un plan plus subtil
  - Respiration Ciel-Terre
  «Tu inspires, tu sens l'air; c'est l'air du ciel, l'air léger, l'air bleu du ciel qui te met en relation avec l'espace.
  Tu expires, tu sens le contact de ton dos avec le sol.
  Tu sens l'air sortir par ton dos et aller dans la terre.
  Tu te mets en relation avec la terre.
  Tu inspires le ciel, tu expires vers la terre.
  Tu inspires en sentant le devant de ton corps.
  Tu expires en sentant l'arrière de ton corps.
  Tu n'as pas besoin de prendre beaucoup d'air. Laisse faire.»

  «Ça fait comme si j'étais dans un rond» dit Marjorie, 10 ans.

  - En relaxation
  «Ta respiration devient un grand souffle qui fait vivre tout ton corps. Ce souffle s'unit à la respiration terrestre, au souffle de l'univers, souffle silencieux, paisible, sans limites et sans forme, comme l'espace. Tu perçois le silence de l'espace, le silence qui est en toi.

F. AVEC MON DIAPHRAGME

Le diaphragme est un outil privilégié de détente. Son bercement favorise la relaxation.

> • *La concentration sur le diaphragme amène rapidement le bien-être, calme les pensées et apaise le corps.*

Le blocage au niveau du diaphragme limite l'inspiration: cela peut signifier que l'enfant a besoin de protection.

---

(3) Voir p.129

1. Je suis présent

- Mettre les mains à la limite des côtes flottantes et respirer comme pour faire craquer sa ceinture.

- Projeter avec les lèvres le son «PPeuh».

- Expirer... se boucher le nez (la bouche étant elle aussi fermée), faire bouger son ventre. Cela donne une impression de ventouse au niveau du diaphragme.

2. Je développe ma respiration

Assis, dos droit, mains croisées au-dessus de la tête, paumes vers le plafond.
A l'inspir, ouvrir le plexus (écarter les côtes basses).
A l'expir, rentrer le ventre en restant bien droit. *(dessin n 48)*

G. JE FAIS DE LA BALANÇOIRE

La «balance respiratoire» suppose une bonne localisation de la respiration: très détendante, elle donne une grande sensation de liberté. Elle peut s'effectuer sur le dos ou sur le ventre, à quatre pattes...

Inspirer par le ventre... expirer par le ventre: il ne bouge plus.
Inspirer par le thorax... expirer par le thorax: il ne bouge plus.
Inspirer par le ventre... expirer par le ventre...
Sentir l'effet de balance de l'un à l'autre.

III. JE DECOUVRE TOUTES LES RICHESSES DE LA RESPIRATION

• Par sa présence au souffle, l'enfant se connaît mieux. Il ressent davantage les sensations propres à l'expir, il vit les temps d'arrêt comme des silences et affine les perceptions de son corps.

A. MA RESPIRATION EST UN CADEAU À DÉGUSTER

Chaque temps de la respiration correspond à une sensation différente et procure un effet spécifique.

«Tu sens ce qui se passe en toi quand tu inspires, toutes les sensations, les impressions. Tu sens comment tu es lorsque tu inspires... Etiré, plus grand, plus léger, plus fort...

RELAXATION

« La Ronde des Saisons »

Respirer au rythme des saisons. ($3 ci-contre)

«Tu choisis maintenant la saison que tu préfères, celle que tu as envie de ressentir à cet instant.
Tu vois les couleurs et la lumière.
Prends bien le temps de t'installer dans l'atmosphère de cette saison.
Tu sens les odeurs, tu retrouves les goûts spécifiques; tout ton corps vibre à l'intérieur en harmonie avec la nature.
La nature et la saison se sont mises en fête pour toi.
Et puis tu laisses venir un mot pour nommer cette saison ou ton impression, comme s'il s'inscrivait sur le ciel ou bien tu le laisses dire par un animal ou par une plante ou encore par le vent.
Et tu t'en souviendras chaque fois que tu auras envie de retrouver cette saison; et tu retrouveras les sensations que tu éprouves maintenant.
Tu es vraiment complètement bien.»

Tu sens ce qui se passe en toi quand tu expires, si tu es plus lourd, plus petit... Observe si tu marques un temps de pause avant de reprendre l'air, avant de te vider.

- Tu portes maintenant ton attention sur l'expiration. Tu te vides sans rien retenir et sans pousser, comme une fontaine qui laisse couler l'eau sans la freiner et sans la lâcher non plus.
Tu laisses partir tout ce qui te dérange comme pensées, comme impressions, comme sensations dans ton corps.

- Après l'expiration, tu marques un tout petit temps d'arrêt: tu es vide, tu es comme coupé de l'extérieur et pourtant tu te rends compte de ce qui se passe. C'est un moment particulier où tu te sens détaché de tout et en même temps très présent à l'intérieur. Tu es vide et tu attends, tu attends l'air qui va venir.

- Tu portes ton attention sur l'inspiration. Après la pause, tu sens le plaisir de laisser l'air rentrer. Tu accueilles cet air comme un cadeau.
Tu t'ouvres à l'air comme la terre sèche s'ouvre à la pluie.
Chaque alvéole pulmonaire, chaque cellule de ton corps respire. Cet air que tu respires, les autres personnes, les animaux et même les plantes le respirent aussi.
Tu sens que tout l'univers respire avec toi. Tu es branché sur le cosmos.

   - Puis vient un nouveau temps d'arrêt. Tu gardes les poumons pleins avant d'expirer, tu as une impression de force, de confiance en toi. Tu es rempli d'énergie. Pendant ce temps, l'oxygène que tu as absorbé fait son travail dans ton corps.

   3. Chaque respiration est un cycle comme la ronde des saisons

La respiration te relie aux saisons, à l'énergie de vie de l'univers.

«- Tu expires, c'est l'automne; les feuilles tombent, la nature se détache d'elle-même; les couleurs s'assombrissent, la lumière est plus douce.

- Tu marques un temps d'arrêt, tu es vide, c'est l'hiver; tout se passe à l'intérieur mais l'air paraît plus pur.

- Tu inspires, c'est le printemps, la sève monte, les bourgeons se développent, la nature se réveille et s'ouvre à la vie. La chaleur revient.

- Tu marques un temps d'arrêt, tu es plein, c'est l'été avec ses vibrations de couleurs, son abondance de fleurs et de fruits. La nature est gorgée de soleil et d'énergie. C'est la plénitude.»

Cette respiration peut amener une courte relaxation (voir ci-contre).

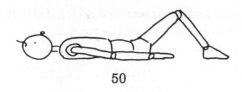

50

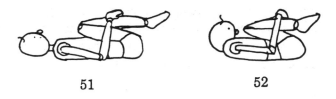

51   52

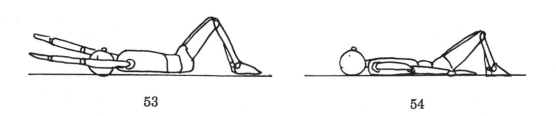

53   54

«*Ton corps vibre au souffle comme une flûte qui donne sa meilleure musique...*

Tu sens que le souffle fait vibrer tout ton corps et pas seulement certaines parties.

Ecoute la musique de ton souffle.

Ecoute la musique de ton corps qui respire...

Tu goûtes ta respiration, tu la dégustes.

Tu la reçois comme un cadeau.

Avec l'air qui rentre en toi, tu pénètres au coeur de toi-même. Tu es présent très à l'intérieur de toi

Avec l'air qui sort, tu prends conscience de ce qui t'entoure, tu communiques avec l'univers.»

B. JE DONNE UN RYTHME À MA RESPIRATION

Les respirations comptées concernent surtout les adolescents et sont intéressantes à deux titres:

1. Elles relient les deux hémisphères du cerveau: en faisant appel à la sensation, au rythme et aux chiffres;

2. Elle leur offre la possibilité de se dynamiser ou de se calmer selon les besoins du moment.
Le rythme 3-2-5-2 est considéré comme rythme universel:
    inspirer en trois temps;
    arrêter deux temps;
    expirer en cinq temps;
    arrêter deux temps.
Pour dynamiser, j'augmente le temps d'inspiration.
Pour calmer, je favorise la durée de l'expir. Par exemple: 3-2-6-2.
La respiration comptée favorise également la concentration.
Le choix des chiffres doit correspondre à un rythme qui s'inscrit assez rapidement dans le corps sous peine de tensions, donc d'effets contraires.

C. J'APPRENDS À BIEN ME VIDER

En général, l'approche de la respiration commence par l'expiration: *«bien vider pour mieux remplir[4]*. Mais parfois l'enfant a besoin d'être dynamisé ou de sentir rapidement la force de l'inspiration en lui.

Je m'exerce à expirer

L'expiration sera active et l'inspiration passive.

1. Debout, expirer en refermant les épaules
et en baissant la tête;
laissez les épaules s'ouvrir
et la tête se relever avec l'inspir.

2. Allongé, genoux fléchis, expirer en ramenant les genoux sur le ventre (vider le ventre). Continuer à expirer en ramenant la tête sur les genoux (vider le thorax). Laisser la tête et les genoux revenir au point de départ avec l'inspir. *(dessins n 50 à 52)*

---

(4) Roger Clerc, *Yoga de l'énergie*

3. - Gonfler un ballon, le plus gros possible en une seule fois
   - Souffler sur une bougie (s'amuser à chronométrer le temps d'expir)
   - Respiration en paliers (voir ci-dessus).

4. Respirations purifiantes
Comme leur nom l'indique, elles servent à purifier l'organisme et à «se défouler». L'expiration se fait par la bouche en comprimant par saccades la cage thoracique avec les bras, les lèvres en forme de «O».

D. POUR MIEUX ME REMPLIR

1 - L'inspir peut se développer par des postures
- Allongé, genoux sur la poitrine, inspirer en tirant les bras vers le haut; expirer en ramenant les bras le long du corps. *(dessins n 53-54)*
- Respiration en paliers *(voir ci-dessus)*.

2 - L'inspir peut s'affiner en qualité

• La respiration est un cadeau à humer ou respiration cérébrale

   - Mettre un peu de parfum sur son doigt. Assis, dos droit, sans raideur, éventuellement appuyé, sentir le visage libre, détendu. Laisser monter le parfum, non pas en inspirant de façon volontaire, mais dans une respiration naturelle, narines rondes.
   Le parfum monte tout seul dans les narines, dans le crâne, dans le cerveau. Sentir ce qui se passe dans sa tête, sentir comme un léger mouvement du crâne (beaucoup plus doux que celui de la cage thoracique).

   Cette respiration permet de découvrir de manière très simple la respiration «pranique» en considérant le prana comme «le parfum de l'air».

   - Mettre le doigt parfumé d'un côté du nez et respirer avec une seule narine. Cela se fait tout naturellement sans même boucher l'autre. Sentir ce qui se passe dans la tête et dans tout le corps.
   «Là où va la conscience, là va le souffle[5]»: il suffit d'être présent pour que les choses se passent.
   Faire de même sans le parfum.

• La respiration est un cadeau à goûter ou respiration pranique

   Lorsque l'enfant sait respirer le «parfum de l'air», il peut effectuer des respirations praniques: «Ce parfum est une force vitale, une énergie que tu puises

---

(5) Roger Clerc, *Yoga de l'énergie*

dans ta respiration,
comme l'essence qui fait marcher le moteur,
comme la levure qui fait monter le gâteau.
Tu respires un parfum qui te recharge.
Tu marques un léger temps d'arrêt pour en être bien conscient
et lorsque tu expires, tu envoies cette force dans ton corps, dans la partie de
ton corps qui en a le plus besoin, puis dans les autres.
Tu n'as pas besoin de respirer plus fort que d'habitude.
C'est comme pour le parfum, il te remplit mieux si tu le laisses monter tout
seul. Il suffit que tu y fasses attention, que tu sois présent».

> • *C'est une respiration qui revitalise*
> *et qui régénère; elle équilibre.*

E. JE JOUE AVEC MES NARINES

Cette respiration favorise la concentration.

Inspirer par la narine droite, expirer par la narine gauche.
Inspirer par la gauche, expirer par la droite.
Inspirer par la droite...

- Elle peut se pratiquer à l'aide des doigts qui bouchent alternativement chaque
    narine; mais très rapidement elle se fait en plaçant sa conscience là où doit
    aller le souffle.

- Elle peut se faire naturellement à l'aide de gestes:
    Inspirer le long du bras droit, fermer la main droite.
    Expirer le long du bras gauche, main ouverte.
    Inspirer le long du bras gauche, fermer la main gauche.
    Expirer le long du bras droit, main ouverte.

F. JE RESPIRE D'UN SEUL CÔTÉ

La narine droite est dite «solaire». Elle réchauffe, tonifie, dynamise. La
narine gauche est dite «lunaire». Elle rafraîchit, calme et apaise. La respiration
par une seule narine se découvre naturellement avec les parfums ou en «fermant» un côté.

Debout ou allongé, replier le bras droit et la jambe droite; respirer en laissant
couler le souffle dans le côté gauche (inspir du pied à la main; expir de la main
au pied). Puis inverser.

A propos de la respiration cérébrale :

«Je sens comme un coussin de parfum sous mon nez, et à chaque respiration, j'en avale un bout.» Carine, 12 ans.

«Ca dégage.» Jean, 10 ans.

«Ca bouge dans ma tête.» Christian, 8 ans.

«Quand je suis bien, je suis lourd, bleu et ma respiration est lente. Quand je suis mal, je suis lourd, violet et ma respiration est rapide.» Guillaume, 11 ans.

«Je sens mon coeur partout, mais je ne sens pas ma respiration.» Joffrey, 9 ans.

G. JE RESPIRE LES COULEURS

La respiration colorée permet un travail sur le corps en fonction de l'influence des couleurs.
Sur l'inspiration, visualiser la couleur choisie, sous forme de nuage, lumière ou autre.
Sur l'arrêt, s'en imprégner.
Sur l'expir, laisser le flux coloré pénétrer dans tout le corps.

Le bleu correspond à l'amour; il détend et apaise. Favorable en cas de tachychardie et de fièvre, le bleu nourrit les cellules nerveuses.
Le jaune est dynamisant. Il favorise le travail intestinal, décongestionne le foie et libère l'intellect.
L'orange est en relation avec les émotions.
Le rouge tonifie, il correspond à l'énergie en mouvement.
Le rose fixe le prana.
Le vert correspond à la sérénité, au calme, il agit aussi sur le foie.

H. JE FAIS DU BRUIT COMME SI JE M'ENDORMAIS

La respiration du dormeur est une respiration profonde qui calme et équilibre l'énergie. Elle imite le bruit de la respiration d'une personne qui s'endort. Elle stimule la glande thyroïde et favorise la clarté de l'esprit.

Porter son attention sur la base de la gorge;
peut-être y poser son doigt et relâcher la glotte
(sentir la gorge comme un passage rond).
Respirer en ayant l'impression
que l'air entre et sort sous le doigt.
Le son ressemble à celui
d'une personne qui commence à ronfler.
Ecouter le son produit.

• *Lorsque l'enfant connaît toutes les manières de respirer, il oublie les exercices et son souffle retrouve naturellement le chemin dont il a besoin au moment voulu.*

CHAPITRE SIX

« Je suis présent à la vie
par mes sens et ma conscience »

*La présence au monde et à soi-même passe par les
sens et la conscience avant d'être pensée et nommée.*

Je suis présent à la vie par mes sens et ma conscience.

I. POINT DE VUE

«En étant conscient, je vis en accord avec moi-même et je peux mieux décider ce qui me convient[1].

II. PRATIQUE

«J'expérimente tout ce qui me relie au monde et à moi-même.

Chaque jour, j'améliore mes possibilités.»

A. Avec mes sens:

les yeux

le nez

la langue et la bouche

la peau

les oreilles

B. Avec mes gestes

C. Avec l'écriture

D. Avec ma voix

E. Et je sais mieux décider

F. Je découvre en moi des trésors cachés

G. Je développe ma capacité de transformation

---

(1) Ce chapitre est inspiré de la méthode créée par le docteur Vittoz dans le but de soigner ses malades par «la rééducation du contrôle cérébral» (voir bibliographie).

I. POINT DE VUE

«En étant conscient, je vis en accord avec moi-même et je peux décider ce qui me convient».

L'enfant est généralement bien présent à ce qu'il fait: il est entièrement dans son jeu, complètement dans ses actes.

En grandissant, grâce au langage, il devient conscient d'être présent. C'est l'étape nécessaire pour qu'il puisse ensuite choisir et décider de vivre consciemment: par exemple, d'écouter ou de laisser sa pensée vagabonder, de sentir ce qui se passe dans son corps, de crier ou de se calmer.

Lorsqu'il est ainsi présent à son geste ou à ses sensations, à ses pensées, il est unifié. Il n'y a pas, d'un côté la pensée, de l'autre l'acte. Il sait qui il est et ce qu'il veut (même si c'est le lâcher-prise ou le laisser-faire qu'il choisit). A ce moment, la volonté est la capacité à diriger son énergie sur un point et non pas un effort lié à quelque chose de dirigé en dehors de lui. Lorsque l'enfant fait quelque chose de contraire à lui-même (en désaccord avec ce qu'il sent ou ce qu'il est), il crée des tensions, il se met «hors de lui»; souvent, il n'arrive pas à réaliser ce qu'il désire et devient ainsi agressif ou de mauvaise humeur. S'il décide de faire quelque chose qui lui correspond, il n'y a plus de lutte: l'énergie coule et il y arrive.

C'est ainsi qu'au cours du stage d'été cité précédemment[2], Laure, grognait parce qu'elle continuait à jouer et n'avait pas pas conscience de son désir de sortir du jeu. Elle a retrouvé son sourire en décidant de se rendre dans l'espace de calme. Cela se passe chaque fois que l'enfant résiste à un événement, sans prendre de recul.

Les exercices qui sont proposés permettent à l'enfant de retrouver le contact avec le monde grâce à ses sens. C'est assez facile pour lui et très structurant.

---

(2) Voir p. 53

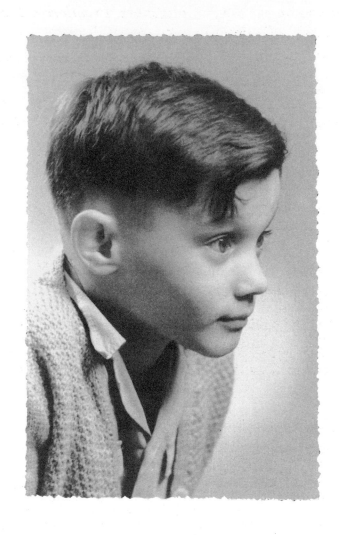

«La réceptivité absolue, c'est être en contact avec tout ce qui nous entoure. La réceptivité est un état actif et conscient et non pas passif». Vittoz

• La sensation est juste et unifiante. Première composante de l'incarnation, elle précède la conceptualisation.

Les graphiques, intermédiaires entre la sensation et la symboli-sation, sont encore concrets mais proches de l'abstrait.

Le geste conscient ou la présence à soi-même sont le début de la maturité: ce qui distingue l'homme de l'animal et favorise le passage de la sensation à la pensée.

L'enfant peut retrouver sa capacité à:
- vivre pleinement l'instant présent
- choisir ce qui est bon pour lui
- expérimenter son corps, ses sens, sa créativité, son imagination
- se relier au monde, à l'univers, aux autres et au divin.

Le Petit Prince parle ainsi de sa rose:
«... les fleurs, il faut les regarder et les respirer. La mienne embaumait ma planète, mais je ne savais pas m'en réjouir... Je n'ai rien su comprendre ! J'aurais dû la juger sur les actes et non sur les mots. Elle m'embaumait et m'éclairait.».

Je propose à l'enfant d'abord une attitude d'écoute, d'accueil, de réceptivité.

«La fleur, tu la regardes, tu la respires...»
«Tu écoutes le monde avec tes oreilles, tu humes ce qui t'entoure et tu dégustes tout ce qui te tente».

Puis je lui suggère d'aller vers le monde, de le nommer, d'être «émissif[3]», de deviner la tendresse derrière la ruse, de créer, de laisser naître les images. Et enfin je lui apprends (ou lui fait retrouver) comment concentrer son énergie sur ce qu'il décide.

---

(3) *«La pensée est émissive, la conscience est réceptive.»* Vittoz

Relaxation

« Je suis »

«Tu déposes ton corps sur le tapis et tu rentres à l'intérieur de toi.

Pour que tu sois encore plus en contact avec toi-même, je vais compter de 5 à 0.

Quand je serai à zéro, tout ce qui est extérieur à toi aura disparu.

Et tu seras très très détendu (je compte chaque chiffre sur l'expiration en accentuant moi-même mon expiration).

Zéro: tu arrives dans un endroit merveilleux où l'air est léger, plein de soleil,

où les arbres chantent en grandissant.

L'eau des sources est parfumée et les animaux communiquent avec toi par le regard.

Tu arrives dans ce lieu où tu vas résider;

tu le modifies à ton gré grâce à tes pouvoirs magiques.

Tu prépares ta maison et tu t'installes devant la porte pour contempler l'espace autour de toi. Tu te sens très très bien.

Maintenant tu rentres dans la pièce principale de ta maison;

le feu brûle, tu le regardes. Tu es complètement fasciné par les flammes,

par leur couleur, leur forme, leur chaleur, leur danse

et la manière dont elles caressent le bois avant de le transformer.

Tu écoutes le chant du feu; tu te sens vraiment bien.

Et là, à cet instant, tu sens le véritable N... que tu es.

Tu as véritablement conscience d'exister

et tu peux dire «je suis bien, je suis beau» ou «je suis petit»

mais surtout tu peux dire simplement: «Je suis».

Dis-le tout bas dans ta tête: «Je suis». Et tu le sais pour toujours;

(Silence ou musique)

Alors maintenant je vais compter de zéro à cinq

et quand je serai à cinq, tu te sentiras de nouveau ici dans la pièce.

(Je compte chaque chiffre sur l'inspiration de l'enfant).

Voilà, tu es dans la pièce et tu écoutes les bruits.

Quand tu veux, tu ouvres les yeux.

E. ET JE SAIS MIEUX ME DÉCIDER

L'acte de décision canalise une énergie, unifie et donne de l'assurance.

- «Tu choisis un coin de la pièce, tu le nommes — par exemple: «là où il y a la chaise». Tu y vas d'un pas décidé, puis tu fais la même chose les yeux fermés.

- Avec l'escargot: «Tu choisis si tu veux rentrer ou sortir, si tu veux utiliser la main droite ou la gauche (éventuellement les yeux ouverts ou fermés). Tu me le dis et tu le fais».
Exemple: «Je rentre avec ma main gauche». Et l'enfant dessine avec sa main gauche un escargot en allant de l'extérieur vers l'intérieur.

F. JE DÉCOUVRE EN MOI DES TRÉSORS CACHÉS

Ce sont toutes les richesses intérieures que l'enfant peut découvrir, toute sa capacité de joie, de paix, de sérénité, toutes ses qualités. Il apprend à ressentir chaque état (calme, énergie, ...) et à le laisser diffuser dans tout le corps. Il peut se connecter avec la joie, la paix, la force.

«Tu laisses venir un souvenir de joie (ou de paix), tu le ressens dans ton corps. Tu sens vraiment comme si tu y étais. Tu sens ce que cela fait dans tes jambes, dans ton ventre; tu le ressens dans ton coeur, dans ta tête... Tu le ressens complètement. Maintenant tu l'inscris en toi pour pouvoir le retrouver chaque fois que tu le désireras.»

G. JE DÉVELOPPE MA CAPACITÉ DE TRANSFORMATION[11]

L'enfant apprend à faire partir ce qui le dérange, à transformer une énergie négative en énergie positive, à faire le vide, le silence[12].

- Mettre le malaise dans un ballon de baudruche qui s'envole, jeter son agressivité dans le ruisseau.

- Les ronds dans l'eau:
«Tu lances un caillou dans l'eau et tu observes les ronds de plus en plus grands. Progressivement, la surface de l'eau redevient lisse et tu peux voir comme dans un miroir les nuages du ciel ou les arbres ou les oiseaux».
«Tu es au bord de la mer et, sur l'eau, tu vois trois mouettes. L'une d'elles s'envole, puis l'autre et puis la troisième et tu vois toute la surface de la mer, lisse, vide».

---

(11) Voir p.162
(12) Voir p.102 et 185

RELAXATION

«La transformation»

Cette relaxation est à faire après le jeu sur la transformation ou après un exercice du même type, (exemple les déclics).

«Vous laissez votre corps complètement se poser sur le sol.
S'il y a des endroits qui ne sont pas très bien, vous les installez complètement.
Vous essayez de sentir que toutes les parties de votre corps sont tout à fait à l'aise, tout à fait bien. Voilà.
Vous observez comment se fait votre respiration.
Comme vous venez de bouger, elle est peut-être un peu bruyante ou rapide.
Vous l'observez... Puis vous la laissez se calmer tranquillement.
Ça se fait absolument tout seul.
Vous la regardez, comme si vous regardiez de l'eau qui vient d'être agitée
et qui se calme tranquillement. Petit à petit, vous ne la sentez presque plus.
Vous êtes passés progressivement de l'agitation au calme.
Vous êtes passés du bruit au silence. Ecoutez le silence de votre respiration...
Vous êtes calmes et silencieux, vous ressentez plein de tendresse pour votre corps.
Vous ressentez plein de tendresse pour vous-même.
Et maintenant, vous allez expérimenter votre pouvoir de transformation:
comme tout à l'heure, vous pouviez transformer des cris d'agressivité en cris de tendresse ou des gestes de tendresse en gestes d'agressivité, vous allez transformer les situations.
Vous pouvez laisser venir des idées ou des images d'une situation où vous n'êtes peut-être pas très bien... quelque chose que vous n'aimez pas trop...
Ou alors quelque chose que vous inventez complètement...
ou encore quelqu'un avec qui ce n'est pas toujours facile de vivre... Voilà...
Puis, un coup de baguette magique comme le gong tout à l'heure
et, hop ! vous transformez la situation. Voilà !
Regardez ce qui se passe.
Tout peut changer. Vous avez la capacité de changer les choses...
Vous pouvez rester là à vivre ce que vous avez envie de vivre maintenant.
(Après un temps de silence:)
et puis vous allez transformer votre immobilité en mouvement, en commençant par bouger les doigts et puis les pieds
et puis... vous allez transformer votre respiration calme en respiration plus tonique
et vous allez respirer plus fort, bouger
et vous pourrez transformer le silence en un petit peu de bruit.»

• Jeu de transformation

Les enfants sont en groupe, dispersés dans l'espace.
«Vous vous promenez et au coup de gong, vous devenez un animal.

Au deuxième coup de gong, vous vous transformez en un adulte de votre choix. Vous pouvez choisir en fonction de son âge, (un grand-père, une dame...) en fonction de son activité (un chauffeur d'autobus, une danseuse...). Vous devenez la personne que vous voulez et vous la jouez, vous la vivez.

Coup de gong: vous redevenez vous-même; chacun, l'enfant que vous êtes. Vous vous promenez, vous chantez dans la pièce.

Coup de gong: vous rencontrez les autres en devenant agressif, bagarreur (mais sans se faire mal: c'est un jeu). Vous faites comme si vous vous bagarriez avec vos gestes, avec votre corps et vous y mettez aussi le son avec la voix.

Coup de gong: vous ne bougez plus. Vous exprimez votre agressivité seulement avec la voix.

Coup de gong: maintenant, vous bougez, vous rencontrez les autres très tendrement: vous êtes gentil et vous manifestez avec votre voix et avec les gestes.

Coup de gong: vous manifestez votre tendresse mais en silence, seulement avec les gestes.

Coup de gong: vous redevenez agressif, seulement avec les gestes.

Coup de gong: vous y mettez la voix
                                    et ainsi de suite...

Cette tendresse ou agressivité peut également être dirigée vers soi-même.
Chaque coup de gong opère une transformation avec une consigne d'être soit agressif avec la voix et les gestes, agressif seulement avec la voix, agressif seulement avec les gestes — tendre avec la voix et les gestes, tendre seulement avec la voix, tendre seulement avec les gestes.
Lorsque la règle du jeu est bien acquise, au bout de plusieurs jours de stage:

Coup de gong: vous manifestez de la gentillesse avec les gestes seulement.

Coup de gong: pendant que vous manifestez de la gentillesse avec les gestes, vous essayez avec la voix d'exprimer de l'agressivité!

Coup de gong: cette fois-ci, vous êtes agressif avec les gestes et avec la voix.

Coup de gong: la voix exprime de la douceur et les gestes la bagarre!

Coup de gong: vous réunifiez quand vous le voulez gestes et joie: soit tout agressif, soit tout calin.

• *La dimension sensorielle de la relaxation développe la force intérieure de l'enfant : elle installe en lui des repères et des ancrages.*

151

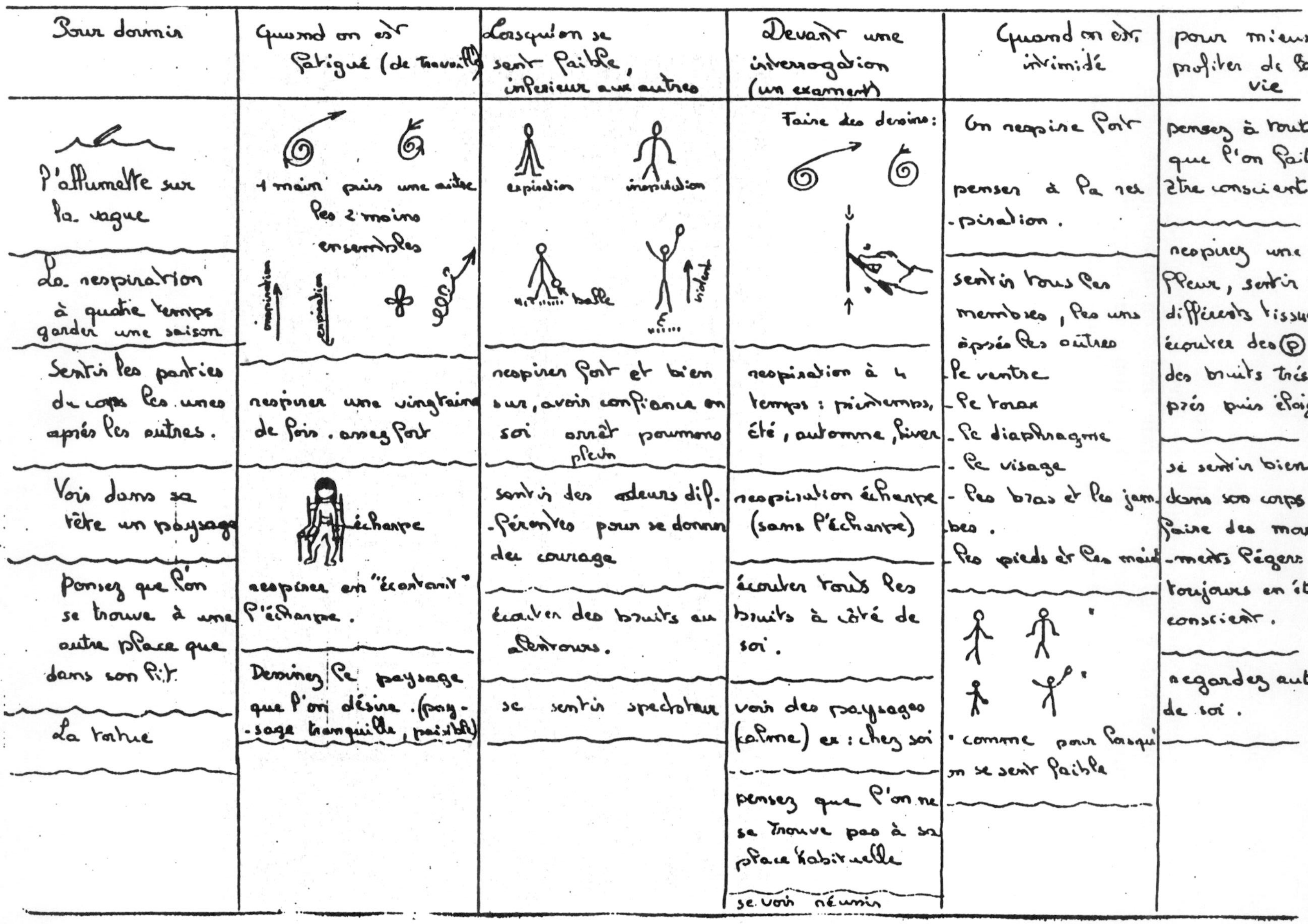

Fait par une enfant de 12 ans, après 10 séances de relaxation.

TROISIEME PARTIE

La relaxation

pour se relier à l'univers

La vie est mouvement. Chaque être participe à l'histoire de l'univers.
Le corps est un lieu de passage, de rassemblement et de dispersion des énergies cosmiques.
Les thèmes choisis pour vivre la relaxation avec l'enfant lui ouvrent les portes du monde, de l'univers et le relient aux grands symboles.

Séance corporelle

« *Le bonhomme de neige* »

« *Tu es debout et tu imagines que tu es un bonhomme de neige.*
Installe-toi bien dans la position et imagine les accessoires (pipe, balai, lunettes...).
Il a fait très froid pendant la nuit et tu es très dur, tout gelé...
C'est le matin.
Le soleil se lève et les premiers rayons caressent ton corps.
Tu deviens un peu moins rigide...
Le soleil chauffe davantage et tu sens les gouttes d'eau se former
et commencer à couler le long de ta tête, le long du cou, de tout ton corps...
Il fait de plus en plus chaud; tu es de plus en plus mou,
tu dégoulines et tu te transformes en flaque.
Tu deviens complètement liquide...
Tu t'étales en flaque d'eau
et tu rejoins les autres flaques pour former un cours d'eau.
Et tous les cours d'eau forment la rivière et la rivière rejoint la mer.
Tu es la mer.
Tu sens le mouvement de la mer;
tu sens les poissons qui nagent, les algues qui flottent...
Et, petit à petit, tu deviens, toi, un poisson qui nage dans la mer
ou une étoile de mer...
et puis, tu sens que tu redeviens un enfant
avec ses pieds, ses mains, ses jambes (nommer tout le corps).
Et puis tu te retrouves ici dans la pièce, le véritable N... que tu es
et tu respires,
tu te sens plein de vie; tu bouges.
Bonjour !

LA VIE EST MANIFESTATION

Manifester signifie «faire connaître, mettre en évidence» mais également «que l'on peut saisir par la main, palpable».

Le passage de l'invisible au visible se fait à chaque instant. Chaque moment de la vie favorise le passage du potentiel à l'actuel.

L'enfant peut se comparer à la graine: elle contient l'arbre tout entier; arbuste, il porte déjà le nom de l'arbre.

L'enfance est un espace qui favorise l'actualisation du visible dans sa relation à l'invisible.

Le parfum (invisible) naît du liquide (visible) contenu dans le flacon. Lorsque j'enlève le bouchon, il rayonne, se diffuse et se répand selon les conditions atmosphériques; il est mis en valeur selon les supports (ex. la qualité de la peau)[4].

> • *Par la relaxation qui améliore le terrain et en fait «sauter les bouchons», le corps devient un support favorable à la manifestation.*

PRATIQUE

LES PASSAGES[5]

La porte, ouverte ou fermée, symbolise l'arrêt et le mouvement. L'escalier, la spirale, la rivière, le pont, le tunnel, l'arc-en-ciel symbolisent les passages et sont fréquemment vus ou nommés en relaxation.

ANALYSE DE LA SÉANCE CORPORELLE «LE BONHOMME DE NEIGE»

Tout d'abord l'enfant ressent complètement les tensions et se relâche.

Lorsqu'il est bien détendu, il peut commencer à s'unir aux éléments de la nature, à l'eau et comme perdre une partie de son identité en devenant la mer, après avoir rejoint tous les autres (les flaques d'eau).

Progressivement, en devenant lui-même poisson, il retrouve une individualité. Ainsi, après l'extension de la conscience, il se retrouve concrètement personne, enfant, et il respire.

---

(4) Voir la relaxation «Le parfum», p.194
(5) Voir p.79

CAPACITÉ À TRANSFORMER LES SITUATIONS[6]

• Exercice inspiré de «l'élimination» proposée par le docteur Vittoz:

«Tu penses à quelque chose qui te dérange, qui t'inquiète ou que tu souhaites voir disparaître, tu écris le mot ou tu vois l'image qui symbolise cet état, qui représente cet état.

Et puis tu effaces, lettre par lettre ou couleur par couleur (ceci peut être fait réellement ou mentalement).

Tu enlèves tout cela comme on enlève une mauvaise herbe, comme on arrache quelque chose qui dérange.

Et tu visualises le mot ou l'image qui représente ce que tu ressens maintenant, ce que tu peux vivre quand tu as modifié la situation.

Tu es responsable (tu choisis ce que tu vis).

Comme on plante une graine, tu viens de mettre en route une énergie nouvelle».

• A l'aide du yoga nidra[7], l'enfant en difficulté apprend à passer de la sensation de lourd à la sensation de léger, de chaud au froid, de la douleur au plaisir, de l'énergie dynamisante à l'énergie calmante, des larmes au rire.

• Par des expériences simples et pratiques, il vit les passages en se désidentifiant de ses sensations et de ses émotions.

En utilisant :

- le regard intérieur[8] qui ne s'arrête pas au corps
- les postures, notamment le Diamant[9]
- les déclics[10] ou gestes, images ou respiration liées à un état.

(6) Voir p.149 et 150
(7) Voir le livre de Satyananda «*Yoga Nidra, apprenez à dormir*». Ed. Dervy-Livres.
(8) Voir p.18 et 179
(9) Voir p.102
(10) Voir p.76

CHAPITRE 7

Le mouvement vertical

Lien entre le ciel et la terre, l'homme enracine les énergies célestes et dynamise les forces de la terre vers le haut. La verticalité de l'homme fait sa dignité; elle le relie au temps, à l'éternité.

Le mouvement vertical

I. POINT DE VUE

    A. L'enracinement

    B. L'ouverture vers le ciel

    C. Le passage entre le ciel et la terre

II. PRATIQUE

    A. Les pieds sur terre

    B. La tête dans les étoiles

    C. La communication entre le haut et le bas

III. L'ARBRE,

IMAGE DE LA VERTICALITE DANS L'UNIVERS
ET DE L'AXE CIEL-TERRE

Lien entre le ciel et la terre, l'homme, animé par le souffle, mobilise vers le haut les forces de la terre et donne racine aux énergies célestes. Et si je crois que le souffle de Dieu est à l'origine du monde, je peux reprendre la phrase de St Irénée:

«Dieu s'est fait homme pour que l'homme soit fait Dieu».

La vie en mouvement est une alternance de séparation et de réunification: cela concerne aussi bien les éléments que les choses et les êtres. L'évolution de la conscience au cours de la vie tend vers la réintégration de l'unité primordiale.

> • *L'expérience proposée par la relaxation permet de sentir l'ébauche de l'unité tout en gardant la conscience de la séparation.*

Dans le récit de la Génèse, la création de la terre et du ciel, la séparation des eaux d'en-haut et d'en-bas se situent très tôt, tout de suite après celle de la lumière et des ténèbres. Le haut et le bas naissent de la séparation ou, plus exactement, de la distinction d'une unité originelle.

L'homme est en bas, Dieu est en haut. Entre les deux se trouvent: une échelle (celle de Jacob); un souffle: la respiration qui unifie.

L'enfant arrive sur terre complètement dépendant, il vit en position couchée (horizontale).

Au cours de la première année, il découvre la verticalité, premier pas vers l'autonomie; elle lui permet de se déplacer seul.

Contrairement à l'arbre dont la poussée vers le haut est naturelle, l'enfant, lui, passe par un apprentissage qui dure toute la vie.

Cette verticalité le relie au cosmos et spécialement à la terre et au ciel. Elle représente également un facteur important d'évolution: il avance, recule, peut se tenir droit face à l'adversaire, s'incliner devant la sagesse d'un autre... Progressivement, il pourra «prendre du recul», devenir «témoin».

A l'image de la colonne vertébrale, l'axe vertical est la charpente au cours de laquelle s'organise la dimension horizontale.

Il peut également être réalisé avec plusieurs enfants, ce qui les responsabilise et leur fait travailler la confiance. (Cet exercice est quelquefois appelé «la bouteille saoule» ou «le culbuto»).

«Tu peux aussi décrire un cercle
avec ton corps en gardant les pieds
bien collés au sol et tu appuies
sur le pied droit vers l'avant
et puis gauche sur l'avant;
gauche arrière; droit arrière.
Et tu sens le cercle que tu décris
avec ton bassin, tes épaules, ta tête
et tu peux imaginer que tu as un crayon
qui dessine un cercle sur le plafond».

Chaque partie du corps est reliée à l'ensemble: les exercices effectués sur un éléments (ici les pieds) ont une influence sur tout le corps.

b. Sentir le contact avec le sol en position assise: les ischions, le bassin sont un point privilégié d'enracinement Les pieds représentent la faculté d'action du premier centre d'énergie, lui-même lié à l'élément terre.
La position debout correspond davantage au mouvement. Lorsque l'enfant est assis, il a moins tendance à bouger.

Exercice lié à la respiration :
Assis, sentir les ischions
bien plantés dans le sol
comme s'ils avaient des racines.
Sur l'expir, lâcher le dos,
il devient rond.
S'asseoir sur le gras des fesses.
Sur l'inspir se sentir
comme poussé d'en-bas;
la colonne vertébrale
se redresse naturellement.

c. En position allongée

- Se poser sur le sol et se laisser attirer par la pesanteur;
- S'abandonner sur le sol et s'imaginer couché dans l'herbe (ou le sable); sentir l'odeur de l'herbe et de la terre, puis respirer le bleu du ciel, léger, aérien.[2]

---

(2) Voir ci-dessous et voir également la respiration ciel et terre p.124

2. Massage des pieds

Je peux proposer à l'enfant soit un auto-massage avec une balle de tennis ou les mains, soit un massage à deux avec d'autres enfants, soit faire le massage moi-même en me laissant guider par mes mains.

3. Approche sensorielle

Les exercices sensoriels en général, et spécialement ceux qui privilégient le contact, sont des ancrages dans la réalité; ils comportent une dimension d'enracinement.
De même, l'écriture est une coulée d'énergie qui laisse une trace matérielle et favorise cette dimension chez l'enfant.
Enfin les actes conscients, en donnant présence à soi-même, sont facteurs d'enracinement dans la vie[3].

4. La respiration abdominale est la respiration-«racine».

Le souffle naît au niveau du ventre, lieu de la fécondité, espace des instincts, source de la force vitale qui alimente l'enfant dans sa totalité[4].

5. Quelques expressions ou images pour parler de la terre, des pieds ou de l'enracinement.
«Tu es solide sur tes pieds».
«Tu es lourd, la pesanteur t'attire agréablement vers le sol; laisse-toi porter par le sol».
«Tu sens comme des racines».
«Tu te couches sur la terre et tu sens son odeur, sa consistance...»
«Tu puises ta force dans la terre comme une fleur ou un arbre se nourrit dans le sol et tu laisses monter la sève...»

Les notions de densité, de matériel, l'image de la maison, du corps physique se rattachent également à l'idée d'enracinement.

B. LA TÊTE DANS LES ÉTOILES

Bien enraciné, l'enfant grandit tourné vers le ciel; il communique de manière concrète ou symbolique avec la vie d'en haut, la lumière, le soleil.

---

(3) Pour l'écriture et les actes conscients, se référer p.144
(4) Voir p.225, 115 et 116

Le sol et l'enracinement sont la structure à partir de laquelle le ciel libère des limitations corporelles et matérielles.

1. La tête, lien avec le ciel

En position debout:
- Sentir sa tête comme suspendue à un fil: grâce à cette image, le corps se tient facilement droit et léger.
- Poser un petit sac en tissu rempli de céréales ou de sable sur la tête. Se déplacer sans le faire tomber ou se grandir en poussant sur sa tête comme si le sac pouvait toucher le plafond.

Debout ou assis:
- Imaginer que la tête est une fleur ouverte vers le ciel.
A chaque inspir, elle capte la lumière du soleil; à chaque expir, elle la rediffuse soit dans l'espace soit dans le corps.

2. La respiration[5]

La respiration haute (ou claviculaire) donne l'ouverture vers le haut. Elle aère le cerveau et anime l'esprit. Cet espace respiratoire est celui de la conscience.

3. Expressions ou images concernant le ciel

Le ciel se rapporte à l'élément «air» et à la lumière. Lié à la dimension spirituelle, il correspond à tout ce qui est désidentification, regard d'en haut, «témoin». En relaxation, il peut être manifesté par l'union au cosmos et l'élargissement de la conscience.

C. LA COMMUNICATION ENTRE LE HAUT ET LE BAS

L'enfant, en perpétuelle évolution, grandit en reliant la terre et le ciel.
En relation avec la colonne vertébrale, de nombreux exercices favorisent la conscience de la verticalité. En allant du plus physique au plus subtil, je peux proposer à l'enfant des marches, des équilibres, des graphismes, des relaxations.

1. La marche

- Prendre conscience de la façon de marcher, de la façon de dérouler son pied.

---

(5) Voir aussi p.121

- Accentuer le déroulement du talon jusquà la pointe,
- puis inverser en posant d'abord la pointe, les coussinets, le talon.
- Ensuite poser tout le pied à plat, talon, coussinets et orteils ensemble.
- Faire de même en marche arrière, en posant d'abord les orteils, puis les coussinets, puis les talons.
- Ensuite, les talons d'abord, les coussinets et les orteils (bien relâcher).
- Enfin, les pieds plats, jambes et mains relâchées.
Cette marche est nécessairement «consciente» et l'enfant peut en inventer toutes sortes.

Certains types de marches peuvent avoir un but précis:
- marcher les yeux fermés affine les sensations et améliore la confiance en soi.
- La marche «Je décide et j'y vais»[6].

Choisir un endroit dans la pièce, le nommer («Je vais à...») et y aller d'un pas décidé les yeux fermés.
Cet acte de décision suivi d'une réalisation en toute conscience est important pour l'affirmation de soi.
Chaque jour, décider d'une marche spécifique et la réaliser un certain nombre de fois au cours de la journée. La créativité s'ajoute ici à la présence à soi-même.

2. Les équilibres

Tous les équilibres debout concernent la verticalité[7].
Certains équilibres sont reliés à la respiration.
Exemple: «Le grand calme[8]».

3. Les Pantins[9]

- Le «Désarticulé» — debout, bras levés, replier le corps articulations par articulations — fait travailler la verticalité dans son ensemble et par segments.
- Le «J'm'en moque» lie la verticalité et la détente.

4. Les graphiques

L'utilisation des graphiques favorise le passage du réel au mental.
- Le trait vertical[10]

---

(6) Voir aussi «La marche karaté» p. 104
(7) Voir notamment p. 103 et 99
(8) Détaillé p. 103
(9) Voir p. 102
(10) Voir p. 146

5. La relaxation

Les visualisations sont variées à l'infini:
- Etre une graine dans la terre qui pousse et grandit[11].
- Etre un parapente qui monte en boule, commence à s'ouvrir, descend et s'étale doucement sur le sol.
Certaines images ou symboles privilégient le mouvement vers le haut: le volcan,le geyser, la flèche...
D'autres vers le bas: la cascade, la pluie, le soleil, le toboggan...
D'autres enfin le lien entre les deux: l'arbre, la fleur, la tour, l'église, la maison, l'escalier, l'ascenseur, l'échelle...

6. Déplacement de la conscience

Certaines prises de conscience plus fines ou plus subtiles se font grâce au déplacement de la conscience ou «regard intérieur».
Debout, immobile:
a) - Inspir: l'air monte des pieds à la tête, comme un jet d'eau à l'intérieur du corps.
   - Expir: il redescend en pluie tout autour.

A plusieurs, en cercle:
Tous les jets d'eau se rejoignent en pluie au centre (comme une fontaine); le soleil éclaire les goutelettes, faisant naître une multitude d'arcs-en-ciel...

b) - Faire prendre conscience que l'inspir élève, allège, étire, alors que l'expir enracine, densifie, solidifie.
   «Tu inspires et tu t'allèges, tu te sens grandir. Tu expires, tu t'enfonces dans le sol, tu prends racine et le sol te renvoie, léger».

- Assis: respirer le long de la colonne vertébrale après installation dans les ischions, le sacrum et la tête.
   «Tu inspires et l'air monte le long de la colonne vertébrale comme si c'était un tube. Tu expires et l'air redescend».

- Dans toute posture, utiliser le regard intérieur, lié ou non à la respiration. Cette notion de déplacement de la conscience peut être illustrée par un voyant lumineux qui se déplace dans le corps de haut en bas et de bas en haut ou un rayon de lumière qui balaie tout le corps.

---

(11) Voir la Relaxation : La Rose et le Petit Prince, p. suivante

Relaxation

La rose et le Petit Prince

«*Tu es bien installé...*
Tu sens que tout ton corps est entouré par ta peau...
Tu sens la peau de ton visage en contact avec l'air...
la peau de ton crâne d'où partent tes cheveux... celle de ton cou... de ta poitrine...
en contact avec le tissu... tu sens la peau de ton dos et de tes bras...
celle de tes mains en contact avec l'air ou le sol...
Tu sens la peau de ton ventre... souple et mobile... tiède ou chaude... et qui bouge
avec la respiration...
Tu sens la peau de tes fesses... celle de tes jambes...
tu sens la peau de tes pieds qui entoure chaque orteil...
tu sens ta peau qui t'entoure comme un tissu très souple et vivant...
tu es bien à l'intérieur de ta peau... tu es protégé.
Tu imagines maintenant que tu es une graine... une graine de fleur...
Tu es une graine de fleur transportée par le vent...
et tu arrives sur la planète du Petit Prince.
Justement, le Petit Prince vient de nettoyer sa planète
et la terre est toute prête pour t'accueillir.
Tu t'y enfonces agréablement...
et tu te sens chez toi; tu te nourris de l'énergie de la terre.
Alors, tu sens que tu grandis... tu grossis...
et tu commences à germer comme les fleurs... Tu es une rose en bouton,
tu bois l'eau que te verse le Petit Prince avec son arrosoir...
et tu sens le regard et la présence du Petit Prince...
tu perçois la chaleur du soleil et tu t'ouvres encore plus.
Tu déplies un à un tes pétales.
La nuit vient et tu attends le lever du soleil pour éclore complètement...
C'est le matin... les rayons du soleil t'éclairent...
Le Petit Prince est impatient de te voir...
Tu t'ouvres complètement, tu rayonnes... tu es une rose merveilleuse et tu souris au
Petit Prince...
Tu es heureux d'embellir et de parfumer toute sa planète...
Vous êtes amis... et tu sais que tu dois maintenant le quitter mais tu pourras le
retrouver chaque fois que tu le voudras...
Tu sens tes orteils et tu les fais bouger...
Tu sens ta langue dans ta bouche...
Tu sens tes doigts et tu les fais bouger... Tu respires plus fort
et tu étires tout ton corps de la tête jusqu'aux pieds...
et quand tu le désires, tu ouvres les yeux.

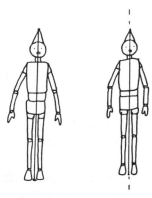

«Tu es debout et tu déplaces
ton regard intérieur de la tête
jusqu'aux pieds et puis tu remontes
des pieds jusqu'à la tête...
Progressivement, tu vas descendre
au-delà des pieds, dans la terre
et au-delà de la tête, dans le ciel.
Et ensuite tu iras même
jusqu'au centre de la terre
et jusqu'au milieu du ciel.
Puis tu reviens aux limites du corps, la tête et les pieds... et tu sens comme
c'est agréable et rassurant de connaître les limites de son corps et aussi que
c'est possible d'aller au-delà des limites...»

III. L'ARBRE, IMAGE DE LA VERTICALITE DANS L'UNIVERS ET DE L'AXE CIEL-TERRE

L'arbre est le support privilégié de toute recherche relative à la relation ciel-terre. Symbole de la vie en perpétuelle évolution, il illustre bien la verticalité. L'arbre bien enraciné peut monter très haut et très large; il ne craint pas la tempête.

Il y avait, près d'Amsterdam, un très bel arbre. En Hollande, les polders ne sont pas très profonds et les hommes ont amené de la terre tout autour de l'arbre, pour lui permettre de grandir. Les racines se sont alors développées à l'horizontale et l'arbre est devenu très gros et très beau.
Un jour de tempête, l'arbre a été couché sur le sol et les racines se tenaient très haut, à la verticale. C'était très impressionnant. L'arbre ne pouvait plus vivre...

L'arbre est également symbole de constance: il pousse là où on l'a planté. Il est bien à sa place et donne une sensation de puissance, de longévité, de protection et de vie.
L'enfant perd ses dents, mue... se transforme...
Bien enraciné, il affronte les dangers de la vie et vit les mutations naturellement: il peut grandir harmonieusement.

L'image de l'arbre est spontanément acceptée ou proposée par l'enfant.

«L'arbre, je le sens à l'intérieur de moi». Nathalie, 10 ans.

«J'étais un pêcher». Gilles, 10 ans.

L'arbre «*sert à symboliser le caractère cyclique de l'évolution cosmique: mort et régénération, les feuillus surtout évoquent un cycle, eux qui se dépouillent et se recouvrent chaque année de feuilles.*
L'arbre met en communication les trois niveaux du cosmos: le souterrain... la surface de la terre... les hauteurs... Il réunit tous les éléments: l'eau circule avec sa sève, la terre s'intègre à son corps par ses racines, l'air nourrit ses feuilles, le feu jaillit de son frotttement.»[12]

<hr />

(12) Dictionnaire des symboles Seghers.

182

A. HISTOIRES D'ARBRES

1. L'arbre dans le vent

«Tu sens le contact de tes pieds avec le sol (les frotter ou appuyer successive-ment sur les talons, les coussinets, les orteils, etc.) et tu laisses descendre tes racines dans la terre.
Quand tu inspires, tu sens la sève qui monte.
Quand tu souffles, elle circule partout, se diffuse.
Tu inspires, tes branches se déploient jusqu'au bout des doigts (les bras s'étirent pendant l'inspiration).
Tu souffles, la sève se diffuse à l'intérieur.

- Le vent arrive...
Bien enraciné, tu peux bouger. L'arbre est agité par le vent.
Un ou plusieurs oiseaux se posent sur tes branches...
Le soleil te chauffe...
Tu respires sa chaleur.
et tu la laisse se diffuser en toi.

- Le vent augmente.
En inspirant, tu t'appuies plus à droite.
En soufflant, tu t'appuies à gauche.
Puis tu t'appuies à droite et tu peux lever le pied gauche, en sentant que le pied droit est enraciné, et le gauche léger... et tu peux même lever le bras droit plus haut...
Et puis l'inverse... (le mouvement se fait naturellement, comme guidé par le vent.
Tu joues à te balancer dans le vent...

- Le vent se calme; tu t'immobilises...

183

2. Comme l'arbre...

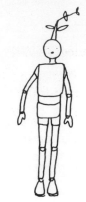

Enracinement et souffle.

> Debout, pieds légèrement écartés,
> tu sens que tu es bien «planté» dans le sol.
> Ton dos est droit et souple, ta tête posée
> en équilibre agréable sur ton cou,
> les bras se balancent presque immobiles
> le long du corps,
> ta respiration met de la vie partout,
> dans ton ventre, dans ta poitrine, plus haut...

«Comme l'arbre,
je m'enracine»...

Notion de droite, gauche, avant, arrière, lourd et léger. Recherche d'équilibre.

> «Tu mets plus de poids sur ton pied gauche, tu te sens lourd à gauche et léger
> à droite. Tu peux soulever légèrement ton pied droit... ton bras droit... tu es
> en équilibre...
> Tu reposes tranquillement ton pied, tu laisses descendre ton bras et tu te
> retrouves bien sur tes deux pieds avant de faire l'autre côté...
> Autre côté...
> Tu penches ton corps en avant, il bascule vers l'avant sans que tes talons se
> relèvent... tu sens l'équilibre...
> Tu laisses partir ton corps vers l'arrière... tes pieds restent bien posés sur le
> sol, les orteils ne se relèvent pas... tu respires et tu sens l'équilibre...
> Tu te retrouves enraciné et droit.»

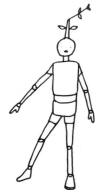   

«Je suis un arbre... le vent me déporte de droite à gauche... d'avant en
arrière. Lorsqu'il s'arrête, je retrouve ma stabilité.»

184

Concentration, stabilité, approfondissement de l'équilibre

«Tu es sur ton pied droit et le pied gauche glisse le long de la cheville droite, du mollet et du genou, jusqu'à ce qu'il trouve une bonne place pour rester. Tu peux maintenant monter et descendre tes bras au rythme de la respiration ou simplement les tenir en croix, et tu te sens stable.»

«Parce que je suis bien enraciné, je peux tenir l'équilibre».

Choix, lâcher-prise.

«Tu inspires et tu laisses tes bras monter vers le ciel.
Tu gardes l'air en t'étirant bien.
En soufflant, tu baisses les bras vers la terre,
et tu secoues tes mains.

«Parce que je suis bien enraciné,
je ne suis pas dérangé
par ce qui m'entoure
et Je peux chasser ma fatigue
ou éloigner mes soucis».

Forces et ressources intérieures : vivre le silence, la paix, le calme, la joie.

«Tu fermes les yeux et tu joins
les paumes des mains devant
la poitrine; tu respires calmement,
tu es silencieux. Tu vis le silence en toi.

«Parce que je suis bien enraciné,
je me sens bien à l'intérieur de moi-même
et j'aime mon silence !»

Epanouissement, ouverture vers le cosmos

«Tes racines poussent profond dans la terre...
Tu grandis, tu t'élèves vers le haut,
bras tendus, mains ouvertes,
comme les branches
et les feuilles de l'arbre,
et tu regardes vers le ciel.
Tu reçois la lumière du soleil le jour,
celle de la lune la nuit.
Tu dégoulines de pluie
ou tu te gorges de chaleur.

«Je suis bien entre le ciel et la terre;
je vis dans la nature avec le soleil
ou la lune, la pluie ou le beau temps,
les étoiles et les planètes.»

B. RELAXATION «JE SUIS ARBRE»

Les réactions des enfants sont très variables, le plus souvent assez fortes et
positives. Le chêne et les arbres fruitiers reviennent souvent. Parfois, c'est un
arbuste, comme «le cognassier du Japon». Tout ce qu'ils disent est accueilli sans
être analysé. Les images angoissantes (ex.: la tronçonneuse) permettent à
l'anxiété de s'exprimer et aux défenses de jouer leur rôle.

«J'ai eu peur que tu fasses venir une tronçonneuse.» David, 9 ans.

186

Relaxation

« *Je suis arbre* »

Installer l'enfant.
Tu peux rentrer à l'intérieur de toi comme on rentre dans sa maison
et tu sens ce qui s'y passe.
Tu sens ce qui bouge... ton ventre... ta poitrine...
Tu sens ce qui chatouille ou fourmille en toi et tous les petits battements dans les
différentes parties de ton corps:
si, par exemple, tu te mets dans ton pied droit, tu peux sentir quelque chose qui bat,
quelque chose de très doux...

Maintenant tu écoutes les bruits de ton corps:
tu écoutes ton ventre... les bruits de ta respiration...
et tu fais ta respiration de plus en plus douce, de plus en plus silencieuse...

Tu l'écoutes... tu es de plus en plus détendu... de plus en plus à l'intérieur de toi.

Alors tu peux imaginer que tu es dans la nature.
Tu regardes autour de toi, tu sens les odeurs, tu écoutes les bruits.

Et voilà que tu aperçois un arbre... un très bel arbre...
Tu marches pour t'en approcher... et tu le touches avec tes mains...
Tu respires son odeur... tu te colles complètement contre lui...

Et tu as l'impression que tu deviens «arbre»... Tu es l'arbre...
Les racines de cet arbre sont tes racines... Elles s'enfoncent
et vont chercher la nourriture très profond dans la terre.
Tu sens le tronc... ton corps est le tronc qui relie les racines et les branches...

Tu es «arbre»...
La sève monte depuis les racines jusqu'au bout des feuilles.
Les feuilles se tournent vers le ciel, les branches montent très haut vers le ciel.

Tes racines plongent dans la terre.
Tes feuilles se nourrissent de l'air. Tu captes le soleil...
Entre le ciel et la terre, tu es fort et solide.
Le vent peut bien venir: tu es enraciné... il ne te dérange pas...
Il fait juste bouger les feuilles et quelques branches...
Tu ne crains pas la tempête: tu es enraciné.

Tu es solide et stable à l'intérieur de toi.
Les oiseaux se posent sur toi...
Les chenilles se déplacent le long des branches...
Toute la nature se réjouit d'avoir un si bel arbre...

La pluie te désaltère, le soleil te sèche et te réchauffe...
L'arc-en-ciel te colore.

Les saisons passent... A l'automne... tu perds tes feuilles...
pendant que toute la nature change de couleur.
Puis c'est l'hiver... le froid tout autour,
mais à l'intérieur de toi, la sève coule et tu es à l'abri
comme la graine dans la terre, comme le chat qui dort en boule.

Maintenant, c'est le printemps, les bourgeons se préparent... tout renaît...
La vie monte en toi pour donner les feuilles... et peut-être des fleurs... des fruits...
Tu perçois l'air frais du printemps et le soleil nouveau...
et tu as envie de grandir... d'étendre tes branches...

Enfin, c'est l'été... la chaleur... la plénitude...
les fruits gorgés de sucre et de soleil... le bourdonnement de l'air...
Tu rayonnes dans cette nature joyeuse, fleurie, parfumée, colorée,
comme le roi des arbres...

Et bientôt ce sera de nouveau l'automne... l'hiver... le printemps... l'été...

Tu te sens complètement vivant au milieu de la nature, du rythme des saisons,
de l'univers tout entier...
Quand la nuit vient... tu t'endors...
Quand le jour se lève... tu te réveilles...
et tu aimes le jour qui succède à la nuit et la nuit qui succède au jour...

Tu te prépares tranquillement à redevenir N....
à redevenir toi-même...
Tu sens que tu es allongé sur le sol
et tu sens tes pieds et tes mains... tu les bouges...
tu sens ta tête... ta langue... tu la bouges...
tu sens tes narines et tu respires plus fort...
Tu t'étires...
Tu gardes en toi l'image de l'arbre...
et tu ouvres les yeux.

CHAPITRE 8

La dimension horizontale

Le ciel et la terre semblent se rejoindre à l'horizon:
porteur de cette rencontre, l'homme chemine vers son
avenir. Nourri de son passé, il marche d'un pied sur
l'autre, reliant la droite et la gauche en une vivante
alternance.

La dimension horizontale

I. DEVANT - DERRIERE
   A. Point de vue
   B. Pratique

II. DROITE - GAUCHE
   A. Point de vue
      1. Valoriser la rencontre
      2. Le sens de chacun
      3. Les deux hémisphères du cerveau
   B. Pratique

L'horizon est la ligne où le ciel et la terre (ou la mer) semblent se rejoindre. Inaccessible et impalpable, cette ligne arrondie semble plane. Elle s'ouvre et s'étire, donnant simultanément une limite à mon regard (au-delà de l'horizon, je ne vois plus) et une sensation d'ouverture, d'élargissement infini.

Par l'énergie qu'elle met en mouvement, elle donne consistance et densité à la dimension verticale.

Symbolisée par la surface de la terre (ou de l'eau), la ligne horizontale concerne spécialement l'incarnation et le temps: elle relie le passé et le présent dans un mouvement incessant.

Illustrée par les vagues ou la marée, vécue dans la position couchée, elle évoque la paix, le repos et la méditation.

En relaxation, je l'aborde principalement dans sa dimension dynamique de lien entre devant et derrière, entre droite et gauche.

I. DEVANT - DERRIERE

A. POINT DE VUE

- Si «derrière» m'accompagne, «devant» m'attire.

Ce que je place derrière moi me porte et me libère, comme la marche sur laquelle je suis montée pour avancer.

Dans cette perspective, la relaxation peut aider l'enfant:

> • à intégrer son passé;
> • à repérer les «débuts», l'origine des choses;
> • à vivre les deuils et les séparations sans se retourner (le passé vécu une fois pour toute) et à mettre fin aux situations.

«Je n'aime pas quand il faut se quitter ou quand les choses finissent».
Nathalie, 13 ans.

Benjamin, 7 ans, réclame toujours:

«Je reste encore un peu ou j'emporte un savon (ou un objet quelconque) et je te le rapporte la prochaine fois».

193

RELAXATION

Le parfum

Commencer par un auto-massage du corps et du visage (style do-in).

«Tu écoutes ta respiration,

Tu goûtes ta salive,

Et tu sens les contours de ton corps, que tu viens de toucher.

Ta peau respire comme un tissu élastique, qui s'étire à chaque inspir et retrouve sa texture initiale à chaque expir.

Tu imagines maintenant que ton corps est un flacon de parfum.

Tu perçois sa forme.

A l'intérieur, se trouve le parfum, liquide, concentré.

Tu respires et ta peau devient plus souple, plus lâche et tu commences à laisser rayonner le parfum.

Il s'échappe par tous les pores de ta peau et se répand autour de toi.

Tu sens une enveloppe parfumée autour de ton corps.

Et, progressivement, le parfum se diffuse dans l'espace; il s'étale de plus en plus loin, devenant plus fin et plus subtil.

Il parfume les nuages et enivre les oiseaux.

Il embaume les planètes, fait dilater le nez des avions et de leurs voyageurs.

Et toi, tu es dans ton corps-flacon, liquide et dense.

Et lorsque tu respires, tu te sens devenir léger, aérien, invisible comme le parfum qui s'évapore, sans limites, sans forme, dans l'immensité de l'espace.

(Un temps de silence).

Et tu sens tes vêtements tout parfumés; et tu sens ta peau en contact avec les vêtements...

Et l'air au bord de tes narines.

Tu respires délicatement.

Tu commences à bouger les doigts, les pieds et, lorsque tu le désires, tu t'étires avec un grand soupir et tu ouvres les yeux.

Hmmm, comme tu sens bon !

• à découvrir l'invisible: ce qui est derrière moi, je ne peux pas le voir.

- Devant moi, se trouve le visible, le but, là où je vais. Tout est possible tant que je n'ai encore rien réalisé.

La relaxation ouvre sur l'inconnu et l'infini. En état alpha, les défenses sont amoindries et l'enfant ose franchir certaines étapes. Ensuite, il le fera spontanément dans sa vie quotidienne.

> • *La relaxation offre à l'enfant des passages entre l'ancien et le nouveau.*[1]

B. PRATIQUE

Je propose à l'enfant de ressentir toutes ses dimensions à lui.

1. A l'aide des postures

• Debout: - en prenant conscience de l'espace devant et derrière.
          - en sentant s'il a tendance a pencher vers l'avant ou vers l'arrière.
• En alternant les mouvements vers l'avant et vers l'arrière dans chaque rencontre.
• En sentant que lorsqu'il ouvre son corps devant, il le ferme derrière et réciproquement.
• Avec des marches, en se fixant un but et en utilisant l'acte de décision[2] qui marque un départ.

2. Avec les sens

Le parfum est un lien entre le visible et l'invisible.

3. Grâce à la respiration

Devant (ventre et poitrine) et derrière dans le dos[3].

4. Avec des graphiques

Par exemple, le trait horizontal, lié à la respiration[4].

---

(1) Voir p.157 et 159
(2) Voir p. 149
(3) Voir p.121
(4) Voir p.146

5. En relaxation

- par l'utilisation d'images: la mer, l'horizon, l'étendue des champs, le lac.
- en développant la capacité de transformer une situation: transformer, c'est lâcher un état pour un autre[5].
- en utilisant les déclics: la relaxation permet de dénouer les liens, les attachements.
- en jouant des personnages.

II.LA DROITE ET ET LA GAUCHE

A. POINT DE VUE

1. Valoriser la rencontre entre la droite et la gauche

L'enfance est le moment de la vie où les portes s'ouvrent, les circuits se connectent. Au cours des premières années, l'enfant a une conscience globale, unitaire. Il ne connaît pas de manière significative dans son corps la droite et la gauche. Progressivement, il peut privilégier un côté selon sa tendance naturelle. Qu'il soit gaucher ou droitier, c'est sa capacité à sentir et à choisir qui me paraît importante: il n'y a pas de bien ou de mal, de normal ou d'anormal dans son choix s'il ne ferme pas le passage à l'autre côté.

L'équilibre est un mouvement perpétuel, la vie est un mouvement : en énergétique chinoise, le yin et le yang sont deux aspects d'une même réalité.

En relaxation, je valorise la richesse de chaque élément, puis je les relie, je les mets en communication pour aller au-delà et proposer une situation nouvelle. Ainsi, l'enfant s'ouvre à tout ce qu'il peut vivre à droite et tout ce qu'il peut vivre à gauche. Il choisit un côté ou l'autre, l'épanouit, l'approfondit. Puis il relie les deux et c'est pour lui un moment de bien-être très intense. Ce sentiment peut être illustré par ce que dit l'enfant de Calabre[6]. C'est ce moment où il sent et il sait que tout est possible. C'est grâce à cela qu'il retrouve confiance en lui et qu'il a des appuis pour sauter et rebondir.

> • *En relaxation, l'enfant expérimente l'état de bien-être et d'unité qui intègre les dualités.*

---

(5) Voir p. 149 et 150
(6) Voir p.15

RELAXATION

« Le galet et la boule de neige »

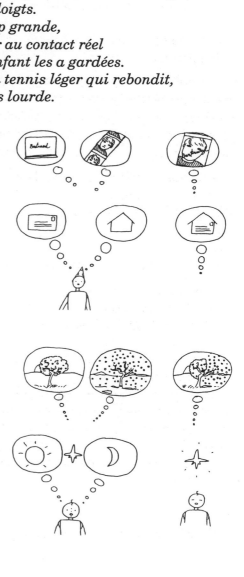

Sentir dans la main droite une boule de neige,
dans la main gauche un galet chauffé au soleil.
Laisser partir les sensations: sentir dans les deux mains
l'air ou le tissu, c'est-à-dire la sensation réelle.
Puis, inverser: sentir dans la main droite le galet chauffé au soleil,
dans la gauche la boule de neige et revenir aux sensations réelles.
Autre possibilité: sentir à droite du sable chaud qui coule entre les doigts,
à gauche de l'eau fraîche qui coule entre les doigts.
Sentir son pied droit dans une chaussure trop grande,
sentir le gauche dans une trop petite. Revenir au contact réel
des deux chaussettes ou des chaussures si l'enfant les a gardées.
Autre image pour les pieds: à droite, dans un tennis léger qui rebondit,
à gauche dans une botte pleine de boue et très lourde.
Revenir chaque fois à la sensation réelle,
puis se recentrer en sentant la respiration,
le nombril qui monte et qui descend.
Voir son nom écrit sur un tableau
et l'entendre dans sa tête,
puis se voir comme sur une photo
et voir ensemble la photo
avec le nom en-dessous ou en travers.
Laisser disparaître.
Voir son adresse écrite sur un tableau
et l'entendre dans sa tête,
puis voir sa maison
(ou son appartement),
puis les deux ensemble.
Voir à droite un arbre au printemps,
à gauche un arbre en hiver;
les laisser se rejoindre
pour former un seul arbre au centre.
Voir un soleil à droite,
une lune à gauche,
une étoile au milieu.
Laisser disparaître le soleil, la lune.
L'étoile envoie un rayon de lumière
qui se promène sur le corps,
tout autour, puis pénètre à l'intérieur.

2. Le sens de chacun

Chacun de nous privilégie certains aspects de la droite et de la gauche. Pour moi, la droite est tonique. C'est un mouvement, une dynamique comme le soleil, dense et chaud, qui rayonne vers l'extérieur.
La gauche est paisible comme la lune, intériorisée comme la femme enceinte, elle rayonne vers l'intérieur. Elle est ronde. C'est une énergie qui se garde.
Je vis la droite comme le mouvement dynamique d'une flèche, et la gauche comme l'alternance d'une balançoire. Je situe l'homme à droite dans sa parole et son mouvement, à gauche dans son silence et son immobilité.

3. Les deux hémisphères du cerveau[7]

Le cerveau est constitué de deux hémisphères, le droit et le gauche appelés le plus souvent en résumé «cerveau droit» et «cerveau gauche».

Le cerveau gauche commande la partie droite du corps. Lié à un fonctionnement de type intellectuel et rationnel, il est concerné par la pensée, le raisonnement, la déduction logique et le langage. Il est plutôt auditif. C'est le siège de la volonté, l'«esprit de géométrie» de Pascal. Son fonctionnement et ses processus d'apprentissage sont privilégiés dans notre société.

Le cerveau droit commande la partie gauche du corps. Il fonctionne par images, symboles, analogies.
Siège de la créativité, de l'imagination, du jeu, du rêve, c'est l'«esprit de finesse» de Pascal.
Sollicité le plus spontanément chez l'enfant, il est plutôt visuel. Les techniques de détente et de relaxation ont tendance à activer le cerveau droit.

Si le cerveau gauche est responsable de ce que je dis, le droit influence la manière dont je m'exprime. Le gauche observe les arbres (les détails) pendant que le droit voit la forêt (global), le relief et la couleur.

En référence à ce système des cerveaux, les difficultés des enfants peuvent se présenter ainsi:
- soit l'enfant refuse l'enseignement traditionnel basé sur la stimulation du cerveau gauche; il refuse de s'intéresser à l'école ou, s'il ne le refuse pas, il y rencontre des difficultés. Il doit «faire des efforts» pour un résultat maigre et il reste dans son monde imaginaire, dans le jeu. Il aime être seul et rêve ou il joue avec des copains et les parents disent: «Il ne pense qu'à jouer» ou «il est toujours ailleurs».

---

(7) Voir le livre de Paul Dennison, *«Kinésiologie ou le plaisir d'apprendre»*, pp. 115 et suivantes

Relaxation

Le voyant de couleur

Faire déplacer dans le côté droit un petit voyant de couleur qui part du pied, monte le long de la jambe et jusqu'à l'épaule.

Il redescend le long du bras, de la main et jusqu'au bout des doigts

en laissant derrière lui un rayon de lumière.

Le rayon de lumière peut ensuite clignoter ou varier d'intensité au gré d'un rhéostat.

Enfin le rayon de lumière se met en veilleuse.

Faire la même chose du côté gauche,

puis les deux côtés ensemble en choisissant une couleur unique.

Eventuellement, laisser monter un voyant le long de la colonne vertébrale.

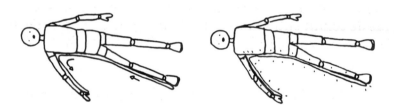

- Soit l'enfant travaille et se coule dans le système scolaire au détriment de son imaginaire. Il s'interdit le rêve, se fixe des barrières et des cadres: «C'est comme cela que ça doit être». Par exemple, Jean-Marc 8 ans, répond à la question: «Est-ce que tu aimes mieux jouer dehors ou dedans ?» par cette phrase:

«Il faut bien profiter du soleil quand il fait beau».

La fantaisie est interdite, l'enfant ne doit pas sortir des règles, les objets n'ont pas d'âme.

> • *Souvent l'enfant privilégie un des deux hémisphères. Par la relaxation, il a la possibilité de découvrir et de s'approprier le mode de fonctionnement qui se développe le moins spontanément, de passer de l'un à l'autre. Il crée un lien, une unité entre les deux, il connecte ses deux hémisphères.*

Voici un exemple de contradiction interne. Souvent l'enfant promet d'«être sage», de ne plus courir... A ce moment-là, il est sincère (Voir l'enfant de Calabre). Les bonnes résolutions sont émises par le cerveau gauche, la raison. Mais il n'est pas capable de tenir sa promesse parce que l'imaginaire pousse dans une autre direction: le cerveau droit n'y croit pas (et le parent dit: il m'avait pourtant promis). En cas de conflit entre la volonté et l'imagination, cette dernière prend toujours le dessus. En cas d'accord entre les deux, le résultat est acquis sans effort.

> • *La relaxation propose à l'enfant imaginatif, libre et spontané de vivre en harmonie avec la raison et l'efficacité de la pensée rationnelle. La créativité est «explosive» lorsque l'intuition et le raisonnement s'associent.*

B. PRATIQUE

L'enfant sent et fait vivre un côté à la fois. Il le repère, le qualifie, puis passe à l'autre côté. Il peut éventuellement jouer en zig-zag dans le corps et unifier.

1. Relaxations

a) «Le galet et la boule de neige»

b) «Le voyant de couleur»

c) Histoire du bonhomme qui avait un côté rouge et un côté bleu et qui devient un jour tout violet — ou qui avait un côté jaune et un côté bleu et qui, un jour, devient tout vert.

2. Exercices respiratoires

Je peux faire sentir un côté à la fois.
    a) pour chaque niveau respiratoire, en utilisant un support, par exemple poser la main ou un objet dessus, un parfum, ou imaginer que l'air est coloré.

    b) pour l'ensemble du corps
en fermant un côté
(plier la jambe et le bras)
et en respirant dans l'autre.

3. Exercices sensoriels et graphiques

a) «Tu écoutes la flûte
avec ton oreille droite
et la cloche
avec ton oreille gauche.
(A faire en deux temps).
Puis les deux sons ensemble
de chaque oreille,
puis avec les deux oreilles
ensemble.
Et tu t'amuseras à écouter en stéréo
les sons que tu entends au-dehors».

b) Il s'agit de sentir en réalité[8] les contacts dans chaque main.
Mettre un caillou dans la main droite, un morceau de tissu ou de bois dans la gauche.
Enlever les objets.
L'enfant garde la sensation le plus longtemps possible
et ferme ses mains lorsqu'il ne sent plus rien.

---

(8) Préliminaires à la relaxation où la sensation sera imaginaire.
(9) Voir p.144 et 106

c) Ecriture main droite, gauche, les deux ensemble[9].
   Dessiner librement avec les deux mains ensemble.
   Sentir quelle main guide l'autre.
   Si c'est la droite, demander à la gauche de guider à son tour.
   Puis plus aucune ne guide: chaque main peut aller de son côté.

L'enfant apprend ainsi à placer sa conscience et son énergie là où il le désire.

4. Exercices corporels

Une multitude d'exercices peuvent être inventés en mobilisant un côté à la fois, en jouant de l'alternance, du balancement et de l'équilibre, de la dissociation et de la réunification.

5. Réactions d'enfants

Certains enfants sentent les deux côtés quand je leur parle d'un seul ou ils inversent systématiquement ou alors ils sentent toujours le même.
Je ne propose rien de spécial et je continue une approche globale associée éventuellement à des exercices de kinésiologie.

CHAPITRE 9

La rondeur finie et infinie

Il n'y a ni commencement, ni fin, tout est relatif et infini.

La rondeur finie et infinie

I. LE CERCLE DANS SA RONDEUR
    A. Point de vue
        1. La richesse et la variété du cercle
        2. Le mandala

    B. Pratique, pour vivre la multiplicité et l'unité du cercle
        1. Avec des images
        2. Des rondes
        3. Des mandalas
        4. Avec la respiration
        5. Avec des postures

II. LE CENTRE ET LES LIMITES
    A. Point de vue
    B. Pratique
        1. Le centre et le mi-lieu
        2. Utiliser des images
        3. Ouverture - Fermeture
        4. Vivre avec les sens
        5. Avec la respiration
        6. Vibration de groupe
        7. Mobilisation des extrêmités

III. EXTERIEUR ET INTERIEUR
    A. Point de vue
    B. Pratique
        1. La respiration, lien entre l'intérieur et l'extérieur
        2. Les images et les couleurs pour s'intérioriser
        3. Découverte des ambiances intérieures
        4. Passages entre dedans et dehors
        5. Aller du concret à l'abstrait, du réel au mental
        6. Rappel d'exercices

IV. LES CENTRES D'ENERGIE
    «Je vis et je vibre à tous les niveaux de mon être.»
    A. Point de vue et pratique
    B. Expériences

Sans commencement ni fin, le cercle relie le fini à l'infini. Symbole d'harmonie et de perfection, il établit une communication entre les quatre extrêmités de la croix. Il donne naissance à la notion de centre, de limites, d'intérieur et d'extérieur.

> *«Platon explique que la sphère contient en elle toutes les images possibles, que le cercle, figure parfaite, symbolise ce qui toujours fut et toujours sera Dieu».* Georges Nataf

I. LE CERCLE DANS SA RONDEUR

A. POINT DE VUE

1. La richesse et la variété du cercle

Image de plénitude et d'éternité, le cercle représente également le temps ou plutôt le perpétuel recommencement.
Mis en mouvement, il devient la ronde, ronde des saisons, cycles de la nature...
Autour d'un axe, c'est une roue.
Ouvert, il se prolonge en spirale évolutive reliant l'intérieur et l'extérieur, en tourbillon de vie.
Posé sur la tête, c'est une couronne ou une auréole qui rayonne.
Lorsqu'il rassemble, il devient cercle de famille, cercle des poètes.
Magique, il garantit la tranquillité.
Cercle de lumière, il met en sécurité la personne ou l'objet qu'il entoure comme une bulle.
Rempart autour de la ville, boulevard de ceinture, il délimite et protège.
Vibrant et sonore lorsque la bouche prononce le «O», il met en relation avec les profondeurs de l'être.
Anneau autour du doigt devenant bague, il symbolise le lien, l'alliance.
Tour quand il s'élève dans l'espace, sphère lorsqu'il prend du volume, le cercle, en expansion, garde une forme parfaite.

Dessiner des Mandalas, Marie Pré: Chemin des Eridolles 17580 Bois-Plage en Ré.

L'enfant trace naturellement des ronds: le cercle est une figure ou une image privilégiée de rencontre et de jeu avec lui.

Selon le Docteur Jean Chatz, la vie pourrait être symbolisée par une spirale infinie. *«Où l'on est à la fois toujours extérieur aux choses et projeté en leur interne le plus intime».*[1]

2. Le Mandala

Mandala signifie «cercle» en sanscrit. Il désigne une figure organisée autour d'un centre (par exemple une rosace). La nature montre souvent le développement d'un élément à partir d'un centre: la graine donne la fleur, le fruit s'élabore autour du noyau, la terre tourne autour du soleil... les planètes sont des concentrations d'énergie autour d'un centre.
Le centre du mandala unifie les éléments qui gravitent autour de lui; les différentes parties s'ordonnent et se complètent; elles ne sont ni opposées, ni rigoureusement symétriques.

L'enfant aime bien les mandalas; il en dessine spontanément et lorsque je lui en propose, le plus souvent, il se calme et se concentre. Certains enfants peuvent très jeunes colorier un mandala sans dépasser les limites. Parfois, ils respectent les lignes, d'autres fois ils brodent autour. Certains commencent par les extrêmités, d'autres par le centre.
Le silence se fait dans la classe entière lorsque l'instituteur propose un travail sur les mandalas.

Si le mandala recentre, il peut également libérer et favoriser l'expansion.

B. PRATIQUE POUR VIVRE LA MULTIPLICITÉ ET L'UNITÉ DU CERCLE

L'utilisation d'images, notamment celles de la fleur, des ronds dans l'eau faits par un caillou, du soleil, de tous les éléments de la nature, viendra spontanément à l'esprit de l'adulte ou de l'enfant qui désirent jouer ou vivre le cercle.

1. Avec des images

La fleur peut être sentie par l'enfant seul, avec ses bras ou avec tout son corps. A plusieurs, en relation avec la respiration.

---

(1) Revue Co-Evolution, n 4 - 1981

En relaxation : La rose et le Petit Prince (p. 180).

2. Avec des rondes

En faisant des rondes ou un cercle au début et à la fin de chaque séance, j'harmonise le groupe.

3. Avec des mandalas

- Mandalas d'associations[2]
Ecrire un mot au centre d'une feuille ou d'un tableau et tracer des lignes qui partent en étoile de ce mot.
Ecrire au bout de chaque ligne une association spontanée.
Visualiser chaque fois le mot du centre et laisser venir une association; l'écrire au bout de la ligne.
Cet exercice mobilise les deux hémisphères du cerveau et libère la créativité.

- Dessiner des mandalas, en représenter avec des objets (tissus, cailloux, fleurs...).

4. Avec la respiration

Sentir chaque partie du corps se gonfler comme un ballon de baudruche à l'inspir et se dégonfler à l'expir. Puis sentir le corps tout entier qui se gonfle et se dégonfle.

5. Avec des postures

Dessiner des spirales avec ses bras (en lien ou non avec la respiration).
Mettre son corps en boule.
Faire le dos rond...

---

(2) Voir le livre de Micheline Flack, *Des enfants qui réussissent*.

II. LE CENTRE ET LES LIMITES

A. POINT DE VUE

Le centre est équidistant de tous les points de la circonférence (ou limites extérieures) du cercle. C'est un lieu de rassemblement, un point de convergence. Il y a bien sûr des multitudes de centres: centre de la terre, centre du monde, centre du corps mais c'est toujours un point important et souvent l'élément-clef qui donne sens.

Qu'il soit visible ou invisible, le centre est un élément de repère, de référence qui correspond à une intensité de vie: centre de la ville, centre de l'être... Dans cette dimension, il est assimilé au coeur.
Le centre de l'être est le lieu de rassemblement de ses forces et de ses facultés. Il symbolise l'unité et permet de rayonner.

> • *Mettre un enfant en contact avec son centre, c'est lui permettre de contacter sa véritable identité, sa véritable nature, ce qui est immuable en lui.*

Le centre est un lieu de sécurité à partir duquel l'enfant peut sortir. Si le mot «concentration» s'oppose à «dispersion», je peux dire aussi que la concentration autorise la dispersion. Apprendre à l'enfant à être centré favorise une attention sans effort et lui donne une grande force intérieure.

Les limites se situent à l'opposé du centre: elles engendrent son existence et déterminent l'espace, le cadre. Eloignées du centre, elles sont le «jusqu'où je peux aller», le bout, la fin. Dans le corps, ce sont les pieds, les mains, la tête, la peau... tout est relatif.

> • *Situer l'enfant face à ses limites lui donne une impulsion, une force créative, le droit d'oser. Ses limites sont mobiles et toujours en référence au centre.*

«Chacun a un centre, arbre de paix intérieur.» Maxwell

RELAXATION

« *Bonne nuit, Thibaut* »

«*Bonsoir Thibault, voilà une histoire pour t'endormir.*
Tu fermes tes yeux et tu sens tes paupières qui deviennent des papillons.
Ce sont des papillons posés sur tes yeux; elles sont légères, légères.
Tu poses tes mains sur ton ventre, tu sens comme ton ventre est chaud,
Ton ventre est doux et tu sens comme ça bouge.
Tes yeux sont fermés et c'est un peu noir à l'intérieur de toi,
alors maintenant tu vas mettre un soleil dans ton coeur
Voilà la lumière du soleil qui éclaire ton coeur.
Tu vois le soleil; de quelle couleur est-il ?
C'est le soir. Le soleil se couche; il va rentrer ses rayons; il les replie à l'intérieur.
Ce n'est plus qu'une boule de couleur à l'intérieur de toi.
Petit à petit, sa lumière diminue et le soleil reste là dans ton coeur
comme une veilleuse.
Alors tu vas voir dans ton ventre et dans ton ventre, tu découvres la lune.
Tu vois: la lune s'est mise dans ton ventre, une belle lune de lumière.
Elle éclaire ton ventre. Elle est comme un bateau bercé par ton ventre.
Ton ventre berce la lune, la mer berce le bateau...
Tu peux laisser tes mains se poser de chaque côté de ton corps.
Des étoiles s'allument au bout de chacun de tes doigts.
de tes pouces et de tous les doigts... Les étoiles s'allument,
peut-être de couleurs différentes. Tu les sens au bout des doigts.
Tu peux les voir même avec les yeux fermés.
Et voilà d'autres étoiles qui s'allument au bout de tes pieds, sur chaque orteil,
les gros pouces et tous les orteils.
Maintenant les étoiles s'allument dans tes cheveux.
Au milieu de toutes ces étoiles, tu es de plus en plus heureux,
de plus en plus calme, tu sens que tu t'endors.
Tu dis «bonsoir» à toutes les étoiles qui vont te garder pendant la nuit.
Tu dis «bonsoir» à la lune bercée par ton ventre,
tu dis «bonsoir» au soleil
et demain matin, quand tu te réveilleras,
tu iras retrouver le soleil dans ton coeur,
tu le sentiras s'éclairer à l'intérieur de toi et déplier tous ses rayons.
Bonne nuit, Thibault.»

2. Utilisation des images

Les images de l'étoile, du soleil qui rayonne, de la roue qui tourne autour de son axe, l'utilisation de certains mots comme «rassembler», «disperser», «contours» connectent l'enfant avec son centre et ses extrêmités.

- Relaxation de la tortue[3]
Sentir la position du corps, le tronc auquel se rattachent les quatre membres et la tête. Comme une tortue sort la patte de sa carapace, imaginer que le bras droit s'étire hors du corps à l'expir et revient à l'intérieur avec l'inspir (selon l'âge, je ne parle pas de la respiration).
Faire la même chose avec le bras gauche, puis avec les deux bras ensemble comme si la tortue étendait ses deux pattes en même temps.
Faire de même avec la jambe droite, la jambe gauche
puis les deux jambes ensemble.
Puis, comme si la tortue étirait ses quatre pattes ensemble,
imaginer que les quatre membres s'étirent ensemble sur l'inspir
et reviennent à l'intérieur sur l'expir.
Sentir le silence en soi. Percevoir la position du corps sur le sol.

- Le ballon
«Inspir: tu te gonfles comme un ballon.
Arrêt: tu te sens gros et large.
Expir: tu te dégonfles, tu te rassembles.
Arrêt: tu es au centre.»

- Le nombril
Faire une relaxation à partir d'un petit bonhomme qui se promène dans tout le corps et finit par s'endormir sur le nombril (libère cette zone émotionnelle).

- Le rayon de lumière ou de couleur
«Tu imagines un rayon de lumière ou de couleur (il peut venir d'une étoile, d'un arc-en-ciel). Il fait le tour de ton corps. Tu sens la lumière ou la couleur qui t'entoure. Tu te sens bien en sécurité dans cette lumière et tu la respires. Elle pénètre à l'intérieur, t'éclaire et te remplit comme une lampe qui éclaire chaque recoin d'une grotte. Laisse-la te remplir complètement.
Puis, c'est toi-même, maintenant, qui vas éclairer l'extérieur. Tu sens cette lumière qui se diffuse à partir de toi vers l'extérieur.»

---

(3) Inspirée de Denis Boyes.

215

Il expérimente:
- qu'il est facile d'y accéder (être présent) et que cela n'appartient qu'à lui. Je ne peux le connaître qu'avec son consentement;
- que c'est juste: c'est ce qu'il sent;
- que ce sera toujours le plus important pour lui: c'est de l'intérieur qu'il tire ses forces;
- que c'est un monde illimité et merveilleux; il n'en aura jamais fini l'exploration.

> • *La relaxation propose à l'enfant de se mettre en relation avec lui-même, les autres, le cosmos et le divin.*

Les contacts avec l'extérieur ramènent l'enfant à lui-même, à son centre: il se les approprie et les intègre, qu'il s'agisse des découvertes sensorielles ou des expériences de la vie relationnelle, de la connaissance de l'amour (par exemple: le Petit Prince découvre pourquoi sa rose est unique: il a expérimenté ce qu'est apprivoiser).

L'enfant se nourrit de l'extérieur, il transforme la réalité extérieure en réalité intérieure en lui donnant une signification personnelle qui sera fonction du moment présent et de son fil d'Ariane[5], c'est-à-dire du fil qui relie tous les éléments et tous les événements de sa vie.
La relaxation relie toujours l'enfant à lui-même. Je lui précise souvent:
«C'est toi qui es concerné, c'est toi qui sais».

«L'important, ce n'est pas d'obtenir la relaxation de ton bras, mais d'être présent à ce qui se passe dans ton bras quand tu décides de le décontracter».[6]

«Je me dessine ce que tu dis dans ma tête», dit l'enfant.

> • *L'enfant peut choisir de fermer ses portes: il se retrouve à l'intérieur pour reconstituer ses énergies.*
> *Il peut choisir d'ouvrir ses portes: il devient réceptif aux échanges avec l'extérieur.*

«L'environnement ne façonne pas l'enfant; au mieux, il permet à l'enfant de réaliser un potentiel.»[7]

---

(5) Voir p.24
(6) Bergès et Bounès: *«La relaxation thérapeutique chez l'enfant»*
(7) Winnicot, p.45: *Processus de maturation chez l'enfant*

B. PRATIQUE

L'état de réceptivité, d'accueil, de silence permet à l'enfant de s'intérioriser pour mieux se connaître: il approfondit la connaissance de son corps senti et nommé (éventuellement touché et mobilisé) de ses cinq sens, de sa respiration et de son énergie pour ensuite s'exérioriser, se tourner vers le monde, laisser sortir sa voix, manifester ses idées, raconter ses images, et se mettre en mouvement.
Il peut alors décider d'aller et venir entre l'intérieur et l'extérieur, choisir sa place entre le centre et les extrêmités selon ses besoins du moment.

1. La respiration est un lien entre l'intérieur et l'extérieur.

«Le souffle rentre et sort. Tu suis son mouvement, ses allers et retours.»

2. Les images et les couleurs peuvent aider l'enfant à s'intérioriser.

- «Tu es à l'intérieur de toi; ton attention, ta conscience sont dedans
comme l'air qui remplit un ballon,
comme l'eau qui imprègne une éponge,
comme l'encre sur un buvard,
comme l'huile qui s'étale,
comme la lumière qui éclaire une grotte[8].
Ta conscience se déplace à l'intérieur de toi comme un rayon de lumière,
comme un voyant lumineux,
comme un petit bonhomme qui se promène[8].
Tu es dedans et puis, comme on sort de sa maison, tu te mets dehors et tu regardes ton corps allongé sur le sol,
comme on regarde une image, un spectacle.
Tu as l'impression d'être derrière une caméra qui filme ton corps en gros plan sur les pieds, les jambes... (nommer tout le corps) puis l'ensemble de ton corps.
Et, de nouveau, tu rentres à l'intérieur, tu habites ton corps... tu t'y installes.
Tu peux maintenant aller encore plus profond à l'intérieur de toi.
Tu descends des escaliers et tu arrives dans un nouveau lieu.
Là, tu peux vivre ce que tu veux.
Tout est possible dans cet endroit hors de l'espace et du temps, ce lieu qui n'appartient qu'à toi.»

«Tu arrives dans un espace où tu peux te transformer en animal, en objet, vivre quelque chose de tout à fait différent dont tu as très envie.»

---

(8) Choisir une image ou un extrait du texte à inclure dans une relaxation.

- Disposer un certain nombre de tissus de couleurs au centre. Le regard se laisse attirer par les vibrations d'une couleur. A l'inspir, les yeux s'ouvrent, le corps se dilate et se remplit de la couleur. A l'expir, les yeux se ferment, le corps retrouve sa taille normale, la couleur se densifie.

Puis l'enfant peut nommer la couleur. Je le recouvre du tissu; il se laisse imprégner de cette couleur, la ressent sur sa peau et dans tout son corps.

Je peux dire à l'enfant:

«Tu perçois l'espace qui est à l'extérieur. Tu perçois le monde et tu te le représentes avec des images. Ces images t'aident à construire tes rêves; elles t'inspirent mais ne te limitent pas.»

> • *Progressivement l'enfant, tout en faisant la part de la réalité et de l'imaginaire, construit ou découvre, laisse émerger son être intérieur; il prend conscience de son identité et peut dire: «Je suis».*

3. Découverte de l'ambiance intérieure du corps

Elle se fera après les découvertes tactiles et les mobilisations (Cf.«Je ne sens pas mon nombril», Ch. 6 et le bleu fluo ci-dessous).

«Tu te places à l'intérieur de ton ventre, tu sens le mouvement.

Tu es dedans comme dans une pièce de la maison et tu sens l'atmosphère de ce lieu, sa lumière, sa couleur.

Est-ce que c'est plutôt une chambre, une cuisine ?

Est-ce que tu te sens lourd, dense, léger, fluide ?

Tu sens l'ambiance de ton ventre.»

Faire de même avec le thorax, la tête, les membres...

4. Passage entre dedans et dehors

A l'inspir, sentir l'ouverture, l'expansion. Prendre conscience de l'espace extérieur; à l'expir sentir la fermeture, le recentrage, découvrir l'espace intérieur.

«Tu inspires, tu t'ouvres, tu t'élargis.

Tu communiques avec l'espace.

Tu expires, tu te refermes.

Tu rentres dans ta maison».

Ici, l'inspir privilégie le contact avec l'extérieur par la dilatation. Parfois il favorise l'intériorisation. Par exemple:

«Avec l'air qui rentre, tu pénètres à l'intérieur de toi.»

5. Du concret à l'abstrait, du réel au mental

Je propose un mouvement à l'enfant:

«Tu le fais réellement, les yeux ouverts.»

Ensuite:

«Tu le fais réellement mais sans regarder (les yeux fermés) et tu le sens bien».

Puis:

«Tu le fais en pensée (mentalement, tu l'imagines), tu le sens comme si tu le faisais».

Parfois l'enfant fait réellement ce que je lui demande d'imaginer, il ne peut pas être à l'intérieur. Je lui propose alors de le dessiner.

Parfois il dit:

«Je ne vois rien, je n'imagine rien».[9]

Il éprouve de la difficulté à visualiser. Je lui fais penser à des choses simples ou familières. Par exemple, je lui dis:

«Tu vois dans ta tête ta chambre... ton animal».

Parfois, il a comme une carapace qui le protège et il n'arrive pas à sentir. Par exemple, Ludovic:

«Mon nombril, je le vois mais je ne le sens pas»,

ou Clothilde:

«Chaque fois que tu me demandes de sentir une partie de mon corps, je vois du bleu fluo à cet endroit».

Je propose alors à l'enfant de toucher, de mobiliser pour que la relaxation ne soit pas une fuite dans l'imaginaire.

> • *En utilisant les sens, la respiration et la relaxation, par le contact ou la mobilisation, progressivement l'enfant ouvre des passages entre dedans et dehors.*

6. Rappel d'exercices déjà vus

Aller de l'intérieur vers l'extérieur et retour:
- en marchant
- avec les sens (l'ouïe, p.71 et 142).

---

(9) Voir p.76

Relaxation

« *La fête des fleurs* »

«*Tu déposes ton corps sur le sol.*

Tu inspires en imaginant que ta peau se gonfle à l'inspir comme un ballon
et retrouve sa taille initiale à l'expir.

Tu la sens élastique, souple.

Ton corps s'aère comme une maison dont on ouvre les fenêtres. Voilà.

Tu sens maintenant ta colonne vertébrale depuis le bas, le sacrum,
jusqu'en haut, la nuque.

Tu respires dans ta colonne vertébrale.

Tu l'imagines comme un tube dans lequel l'air monte à l'inspir
et redescend à l'expir.

Ton souffle est léger, très pur, très subtil.

Essaie de bien percevoir ce souffle magique, ce souffle de vie.

Tout ton dos respire maintenant.

Tu imagines que ta colonne vertébrale est un arbre et tu sens les racines,
profondément enfouies dans le sol.

L'énergie de la terre remonte le long de la colonne vertébrale.

... Silence ...

L'énergie du cosmos pénètre par le sommet du crâne et se diffuse dans ton corps
par la colonne vertébrale.

... Silence ...

Tu as deux courants en toi;

l'un vient de la terre, l'autre du ciel et ils s'harmonisent.

Maintenant tu imagines des fleurs de couleur le long de ta colonne vertébrale.

Tu laisses ces fleurs respirer chacune leur tour.

Elles se gonflent de sève, de vie, de couleur à chaque respiration.

Toutes les fleurs s'ouvrent et respirent ensemble.

C'est une joyeuse fête de fleurs.

- avec des graphiques : l'escargot. (voir p.144)
- avec le corps.
Sentir le contact avec l'extérieur, la peau, les muscles, les organes, les os.
- En relaxation, recevoir l'énergie du soleil, l'absorber puis la rendre.

IV. LES CENTRES D'ENERGIE (ou chakras)

A. POINT DE VUE ET PRATIQUE

Présentation des centres d'énergie

«Je vis et je vibre à tous les niveaux de mon être».

Chakras signifie «roue» ou «cercle énergétique».
Les chakras sont des récepteurs et transmetteurs d'énergie. A l'image d'un centre d'échange, ils mettent en communication toutes les formes d'énergie, de la plus dense à la plus subtile.
Situés entre le périnée et le sommet de la tête, ils ne se touchent pas comme des objets ou des membres. Ils ne se voient pas de manière évidente; ils se perçoivent davantage dans l'immobilité et le silence.

Au niveau de chaque centre d'énergie, la vie peut être perçue sous une forme vibratoire:
- à l'aide du souffle, lien entre la vibration intérieure et la vibration extérieure;
- par le son, vibration reçue de l'extérieur;
- par la voix: trouver les différents sons accordés aux zones de résonnance du corps;
- en plaçant simplement sa conscience à chaque niveau.

En relaxation, les symboles paraissent tout à fait adaptés: lune de lumière dans le bassin, un triangle au niveau du plexus, une étoile au niveau du coeur, un soleil dans la gorge, un faisceau de lumière ou une torche au niveau du troisième oeil, une couronne d'or au sommet de la tête.
Les cinq éléments (terre, feu, eau, air, éther) sont également un support concret et riche.

1. Je m'incarne: protège-moi pour que j'existe.

Le premier niveau correspond à la sécurité de base. Situé dans la région du périnée, il est en relation avec les énergies de la terre.
Concerné par la maison, les racines, la défense du territoire et l'instinct de survie, il vibre tout particulièrement avec la couleur rouge et les odeurs.

Parcelle (ou image) de Dieu incarné sur terre pour un temps donné, l'homme branché sur le monde, participe de manière visible et invisible à l'alchimie de l'univers.

Il peut être abordé:

- avec les mains, par le pétrissage et le modelage (terre glaise, sable, pâte à modeler),
- avec les pieds, par la marche,
- avec le sacrum[10] (une bonne assise),
- avec l'odorat (premier organe de sensation).

La notion de bien et de mal (ou beau et pas beau), la demande de protection de l'enfant, les cris de terreur ou d'agressivité sont en relation avec ce niveau de conscience.

La relaxation, notamment dans sa dimension sensorielle et en tant qu'expérience «nommée» favorise l'incarnation et l'enracinement. Elle a comme premier effet de rassurer.

Le thème de la terre favorise la stabilité, la croissance et la prise de poids. Je choisis des postures qui enracinent, qui stimulent la découverte des ischions, du périnée. J'utilise des marches, des massages, et, au niveau sensoriel, tout ce qui concerne l'odorat.

2. «Je suis une fille ou je suis un garçon. Enseigne-moi comment vivre ma sexualité et harmoniser mes qualités masculine et féminine».

Les énergies sexuelles et la sensualité concernent le deuxième niveau.

Situé dans le bas-ventre, il est à l'origine des réactions viscérales, des maux de ventre liés à la peur, des cris de jouissance ou de plaisir.

Lieu d'acceptation et d'intégration du masculin et du féminin, il plonge ses racines dans l'inconscient et peut déclencher les «grandes eaux» ou le «déluge émotionnel[11]».

En état alpha, le garçon peut devenir fille, reine, fée ou sorcière, la fille, cavalier, ogre, roi ou esprit de la forêt, et réciproquement. L'un et l'autre développent leur créativité et vivent mieux (sans culpabilité) les énergies sexuelles. Je favorise les postures qui mobilisent ou concernent le sacrum, le bas-ventre. Parmi les thèmes, je choisis l'eau qui dissout, rafraîchit, fluidifie, le plaisir de l'eau, de la mer, l'Arche de Noé, la conscience du bassin.

• *La relaxation affine la prise de conscience des qualités masculines et féminines et autorise le vécu des deux.*

---

(10) Voir «Enracinement», p.172
(11) Formule employée par Jean-Yves Leloup.

3. Je suis porté par ma joie de vivre: admire-moi pour que je puisse me transformer sans trop m'attacher aux choses et aux êtres.

Le plexus solaire et l'estomac, avec le «feu gastrique» situent le troisième centre. L'esprit de compétition, avec son cri de victoire ou de rage, les jeux de pouvoir (soumission et domination) s'exercent à ce niveau de conscience.
La spontanéité, la joie de vivre mais aussi la jalousie et les complexes d'infériorité[12] sont en relation avec ce centre de l'énergie vitale.
L'enfant mal à l'aise à ce niveau devient agité, irritable et dominateur.
Lié à la vue, son élément est le feu, et, avec lui, la lumière.

> • *La relaxation libère le plexus solaire et, de ce fait, redonne santé, force et joie de vivre à l'enfant. Elle ouvre à l'amour.*

Elle évite à l'enfant de «se faire de la bile», ou de «rire jaune», permettant à l'organisme de tirer profit des nourritures terrrestres.
J'amplifie les respirations de détente, notamment au niveau des côtes basses et du diaphragme. Je privilégie les thèmes du feu, avec son énergie de force, de chaleur, de purification et de transformation, et je favorise la découverte du nombril. J'amène à une certaine compréhension du détachement. Rien ne nous est dû ni ne nous appartient. L'enfant qui dépasse les contradictions à ce niveau retrouve la foi en la vie, l'acceptation de l'inévitable, et s'ouvre à la foi en plus grand que lui et en l'éternel.

4. Aime-moi pour que je trouve ma propre loi intérieure.

Si le bas du corps correspond aux énergies plus physiques et denses de la matière, le haut représente une qualité d'être plus subtile, liée au ciel et au spirituel; le coeur fait la jonction entre les deux.
C'est le siège des sentiments d'où naissent les cris d'amour et de tendresse. La connaissance du coeur et l'amour transcendent le pouvoir, le rationnel et les dualités.
Espace respiratoire (cage thoracique), il est en relation privilégiée avec l'élément air. A ce niveau se développe la conscience des autres et la générosité.
La respiration est l'acte privilégié du coeur; elle intériorise, elle ouvre à l'amour universel.

> • *La relaxation favorise la rencontre du haut et du bas, des instincts et des forces supérieures.*

---

(12) Cf. Adler.

La pensée positive et les vibrations d'amour prémunissent l'enfant sur le plan physique et subtil. L'élément air, la couleur verte, apaisent, détendent et stimulent l'enfant.

5. Je parle, j'invente: nomme-moi le monde afin que je laisse parler ma voix intérieure.

La gorge, lieu de vibrations sonores et de passage des aliments, symbolise le pouvoir de transformation. La gorge serrée, le mutisme, les angines (de angere, angoisse) sont les «mal-a-dies[13]» liées à ce niveau de conscience. Elles bloquent la créativité et l'inspiration, le passage[14]. Le chant et la parole donnent une autre dimension à la réalité: nommer une personne ou une chose, c'est la reconnaître. L'Evangile dit à propos du Christ: «*Et le Verbe s'est fait chair et il a habité parmi nous*».
L'ouverture de ce niveau de conscience permet aussi la sublimation des énergies sexuelles.

• *La relaxation libère l'imagination, la créativité, la réceptivité.*

Elle permet de grandir en harmonie avec l'extérieur et de s'y développer sans avoir la gorge serrée, à la fois par une meilleure conscience de son corps et par la verbalisation. L'adulte considère l'enfant comme un être humain parlant, comprenant et capable d'exprimer le meilleur de lui-même. Je respecte cette dimension lorsque c'est à lui — plutôt qu'à ses parents — que je m'adresse pour établir le contrat et pour expliquer en quoi consiste la relaxation. De même, je lui offre une nouvelle clef quand je progresse dans le toucher et le nommer. En touchant le corps de l'enfant (non comme un contrôle, mais avec tact), je le réinforme de son corps. En le nommant, je le place sur un plan symbolique.

«Tout ce qui se situe dans la gorge relève du défaut de symbolisation au niveau de la parole, alors que les symptômes liés aux oreilles expriment une fin de non recevoir».[15]

Pour travailler à ce niveau, je propose de :
- respirer du bleu dans la gorge ou comme un dormeur (cf chapitre sur les respirations);
- chanter les voyelles et les comptines;
- jouer à faire les trois ours: le papa ours avec sa grosse voix, le bébé ours avec sa petite voix, et la maman avec sa voix moyenne;

_____

(13) «Mal à dire», dit Jean-Yves Leloup
(14) Voir «Les passages»: Introduction de la troisième partie.
(15) Yvonne PONCET (Revue *Psychologie* n 70 de novembre 1989)

- bouche fermée, imaginer qu'une mouche se promène et s'échappe par la nuque;
- bailler;
- associer le son aux postures;
- en relaxation: développer les thèmes de l'espace, la fluidité, la conscience du vide; relier au temps, aux racines, pour grandir et les dépasser en utilisant l'imagination et l'intuition.

J'utilise et je constate la puissance du mot qui incarne lorsque je demande à l'enfant de nommer. Par exemple, au cours de la relaxation «Tu donnes un nom à ton arc-en-ciel...»(p. 158)

> • *La relaxation est le lieu de l'expérience parlée[16] Elle permet à l'enfant de laisser parler sa voix intérieure.*

«Lui faire confiance et lui donner un espace plus grand autour de lui que celui qu'il veut déjà, une liberté dans le temps et l'espace plus grande que celle qu'il demande, c'est ainsi que nous pouvons élever l'enfant parce que son corps se développe, conforme à une image du corps faite pour la relation féconde à tous les niveaux, c'est à dire de productivité, de créativité, et de relation enrichissante pour tout le groupe autant que pour lui». Françoise DOLTO.

6. Je suis, j'ai conscience d'être.

Localisé entre les sourcils, le «Troisième Oeil» est considéré comme le centre de la conscience et de la pensée. Espace du rêve, lieu magique, lieu de connaissance des symboles, c'est l'espace intérieur, point de rencontre entre l'intuition et la raison, le «je sens» et le «je vois».

C'est grâce à lui que se fait la transmission de pensée ou la communication par images; souvent, en relaxation, l'enfant voit l'image avant que je la lui propose, ou c'est lui, peut-être, qui voyant déjà l'image, inspire mes paroles. Un médecin soignant des enfants qui ne parlent pas encore, visualise ce qu'il va faire et l'enfant l'accepte mieux.

La relaxation permet de retrouver l'unité en soi; elle développe l'intuition, le senti. Cela se fait toujours en lien avec l'harmonisation des fonctions inférieures. Les exercices pourront spécialement concerner les deux hémisphères du cerveau, les visualisations, la conscience d'être, tout ce qui permet de se désidentifier des rôles et des personnages.

> • *La relaxation ouvre à la dimension d'éternité, à la lumière, et au divin : l'éveil de la conscience permet de dire «Je suis».*

---

(16) Voir Prologue, Le Petit Prince et sa rose, p.23

7. Je suis silencieux pour recevoir la lumière de l'univers et la refléter.

Point de rencontre entre le ciel et la terre, il dépasse le plan de la manifestation. C'est le plan transpersonnel, le plan du divin, l'ultime degré de l'évolution de l'homme. C'est la conscience de témoin, la position qui permet d'observer tous les autres niveaux et de les harmoniser. La glande pinéale, qui correspond à ce niveau, rythme les énergies dans la lumière.

> • *La relaxation permet de se laisser inspirer en se branchant sur l'esprit et d'être simplement un canal.*

«Lui faire confiance et lui donner un espace plus grand autour de lui que celui qu'il veut déjà, une liberté dans le temps et l'espace plus grande que celle qu'il demande, c'est ainsi que nous pouvons élever l'enfant parce que son corps se développe, conforme à une image du corps faite pour la relation féconde à tous les niveaux, c'est à dire de productivité, de créativité, et de relation enrichissante pour tout le groupe autant que pour lui». Françoise DOLTO.

Sur le plan physique ou subtil de la circulation des énergies, tout blocage, tout hyper-fonctionnement à un niveau quelconque entraîne des perturbations à d'autres niveaux.
Les modifications proviennent d'éléments intérieurs et extérieurs (tous les rythmes, lumière - obscurité, saisons, pluie et beau temps, cycles de la lune et du soleil).
Le processus de la relaxation a une dimension holistique, car il agit sur l'ensemble de l'être, et s'il privilégie un centre d'énergie, il tient compte des autres.

B. EXPÉRIENCE

Chaque plan de conscience peut être pour moi un espace de rencontre: me situer en résonance avec l'enfant et m'adresser à tous les niveaux de son être, c'est pour moi trouver des clefs, ouvrir des portes.
J'utilise des images ou des symboles et lui perçoit des manifestations variées de l'énergie dans son corps, souvent en relation avec les chakras (bien que ce ne soit jamais nommé).

Par exemple,
- «Tu sens ton ventre respirer comme une fleur qui s'ouvre au soleil».

«J'ai vu une rose parfumée mauve dans mon ventre et une tulipe noire (reine de la nuit) au-dessus de mon nombril». Catherine, 12 ans.

RELAXATION

La Spirale

Cette relaxation peut être faite avec une musique de Pharista*.
Installez l'enfant:
«Tu sens tes pieds et tu imagines que tu marches sur un sol que tu aimes bien.
Tu es pieds nus et tu sens bien sur quoi tu marches. Voilà.
Maintenant, tu sens tes mains
et tu imagines que tu pétris quelque chose que tu aimes bien toucher,
par exemple de la pâte à gâteaux, du sable, de la terre glaise, de la pâte à modeler...
Voilà.
Tu portes ton attention dans ton ventre.
Tu sens dans ton ventre comme une spirale d'énergie qui tourne comme un ressort,
qui tourne en rond, qui tourbillonne... à la vitesse que tu veux.
Tu la sens dans ton ventre et elle monte à l'intérieur,
elle passe sous le nombril, puis dans ta poitrine.
Elle peut être en couleur ou blanche et puis elle monte à l'intérieur de ta gorge, dans
ton cou, dans ta tête et elle se diffuse dans l'espace.
Et tu sens bien à l'intérieur de toi cette spirale qui monte depuis le ventre
jusqu'au-dessus de la tête. Voilà.
Maintenant, une autre spirale va se mettre en place autour de ton corps.
Elle part des pieds, à la distance que tu veux pour être bien à l'aise.
C'est une spirale qui entoure ton corps, très agréablement, en partant des pieds
et elle tourne autour et elle va monter jusqu'au sommet de la tête.
(Un temps de silence). Voilà.
Maintenant les deux spirales peuvent se rejoindre
ou alors tu les sens qui tournent, une à l'intérieur, l'autre à l'extérieur.
Si elle veulent, elle peuvent se rejoindre, elles peuvent monter dans le ciel...
Il y en a peut-être juste une toute petite qui reste dans les pieds ou dans le ventre.
Tu les laisses vivre, jouer...»
Retour à l'état de veille.

(*) Voir Musicographie.

- Après un jeu avec des spirales (écrites et dessinées dans l'espace):
«Tu laisses la spirale du son produite par un bol tibétain se diffuser dans tout ton corps.»
- «Tu sens comme une spirale d'énergie à l'intérieur de toi, dans ton ventre. Elle monte vers ton diaphragme, ta poitrine, ta gorge et s'élève vers le ciel».

«Je sens une boule chaude dans mon ventre, puis mon diaphragme qui bouge. Je ne ressens pas la gorge parce qu'il y a du bruit dehors et ça me gênait. Dans ma tête, j'ai vu plein de racines d'où partaient des fleurs multicolores».

- «Tu mets un soleil dans ton coeur et tu le sens rayonner dans l'ensemble de ton corps».

Je peux également jouer avec les couleurs:
«Tu mets une belle ceinture jaune à la taille et une grande écharpe bleue autour du cou.»

Toute relaxation met dans une certaine ambiance, un «état vibratoire» plus ou moins fluide ou dense ou coloré.

Après une relaxation sur les sons, Léa, 13 ans, constate:

«C'est comme si on franchissait une porte; j'étais dans un endroit qui tourne et je changeais chaque fois».

«Je sens des racines dans mes pieds», affirme Christelle, 12 ans, à la suite d'une relaxation sur la nature.

> • *La relaxation affine la perception du corps et de la vie sous sa forme vibratoire. L'enfant prend conscience de toutes les qualités d'énergie qui l'habitent et qui l'entourent.*

«Je ressens comme une enveloppe de tulle autour de moi, quelque chose de doux», conclut Emilie, 13 ans.

EPILOGUE

« Sur quelle planète suis-je ? »

Pour s'instruire, le Petit Prince visite les planètes proches de la sienne. Chacune dévoile un aspect de l'adulte, une manifestation de moi à laquelle l'enfant est confronté et dont je n'ai peut-être pas conscience. Suis-je pour lui bizarre, étrange, extraordinaire ?
Pour m'éclairer un peu sur moi-même, je commence par découvrir les habitants de chaque planète.

Le roi

Il est bon et simple, mais il aime bien commander et faire respecter ses ordres. Le Petit Prince réagit avec la spontanéité de l'enfant qui baille lorsqu'il en a envie (même si ce n'est pas poli) et ne peut surtout pas le faire sur demande: *«Ça m'intimide»,* dit-il.

Le roi se rend compte alors *«qu'il faut exiger de chacun ce que chacun peut donner»* et il constate: *«j'ai le droit d'exiger parce que mes ordres sont raisonnables».*
Dans son innocence, l'enfant s'émerveille des pouvoirs de l'adulte mais il ne s'y trompe pas: il sait ce qui est bon pour lui. Le Petit Prince désire partir et comme il souhaite faire plaisir au roi, il lui demande *«un ordre raisonnable...»,* de partir avant une minute par exemple et il s'en va.

> • *Dans ma rencontre avec l'enfant, sur quoi repose mon autorité et mes exigences ?*

235

Le vaniteux

Il a besoin d'être admiré, il se tourne vers l'extérieur pour être reconnu; son bien-être intérieur dépend des louanges des autres.
Valorisé par l'enfant beau et intelligent, il rejette celui qui le dérange, par exemple un enfant handicapé ou contestataire. De la même manière, il ne répond pas aux questions qui le gêne; il n'entend que ce qu'il veut.

> • *Et moi sur ma planète, suis-je déçue lorsque l'enfant ne répond pas à mes attentes, n'aime pas venir me voir ou ne veut pas quitter sa mère pour passer un moment avec moi ?*

Le buveur

Il ne veut pas voir les choses en face et se coupe du monde: *«Je bois pour oublier que j'ai honte... honte de boire»*. Il refuse la relation adulte. L'enfant est plus responsable et plus mûr que lui: il regarde la réalité et cherche à comprendre.

> • *Ai-je déjà visité cette planète avec l'enfant ?*

Le businessman

Il se définit par son sérieux. Il n'a pas le temps de s'amuser et de faire de l'exercice. Les flâneries et les rêveries ne le concernent pas. La nature le dérange: le bruit d'un hanneton lui fait faire des erreurs de calcul. Il sent son corps seulement dans la maladie parce qu'elle le gêne. Sa richesse, c'est son mental, ces systèmes de pensée. Il se nourrit d'idées, de possessions inutiles, rationalisant pour justifier son existence. Il n'entend ni la poésie ni la simplicité de l'enfant:
> *«Moi, si je possède un foulard, je puis le mettre autour du cou et l'emporter. Moi, si je possède une fleur, je puis cueillir ma fleur et l'emporter, mais tu ne peux cueillir les étoiles...»*

Et le businessman répond:
> *«Non, mais je puis les placer en banque»*.

Et le Petit Prince pense que ce n'est ni très utile, ni très sérieux...
Cette notion sera reprise par le pilote, qui déclare: *«Je m'occupe de choses sérieuses, moi»*. Mais après la rencontre avec le Petit Prince, il aimera la nuit écouter les étoiles qui tintent comme des grelots.

> • *Et moi, je ne sais pas ce qui est sérieux. L'enfant le sait: avec lui, je peux le retrouver. Il m'invite sur sa planète où, de temps en temps, j'ai le droit de me prendre au sérieux même si lui trouve que ce n'est pas très utile. Et lorsque je suis si fière de ce que je lui offre, est-ce que j'accepte qu'il me dise: «Tes baobabs, ils ressemblent un peu à des choux !» ?*

«Les grandes personnes sont décidément très très bizarres.»

Et lorsque je suis toute contente de la belle relaxation que je viens d'inventer pour Karim, comment est-ce que je réagis lorsqu'il me dit : «Je n'ai rien vu parce que je pensais à ma copine.» ?

L'allumeur de réverbères

Il applique bêtement la consigne et vit dans le passé avec une règle devenue inutile. Le système auquel il fait confiance aveuglément ne doit surtout pas être remis en question. Ces points de référence définis une fois pour toutes le sécurisent bien qu'il s'en plaigne. Il me rappelle des phrases entendues:

«Ç'est comme ça et puis c'est tout».
«On a toujours fait comme cela».
«Ne discute pas et obéis».
«C'est invivable mais je ne peux pas faire autrement».

Et le Petit Prince aime *«cet allumeur qui était tellement fidèle à la consigne»* et qui s'occupait d'autre chose que de lui-même. Il trouve le moyen de s'émerveiller:

«Quand il allume son réverbère, c'est comme s'il faisait naître une étoile de plus ou une fleur... c'est véritablement utile puisque c'est joli».

La poésie, la beauté et la tendresse vues par l'enfant permettent de dépasser ce qui pourrait paraître ridicule ou rigide.

> • *Est-ce que les rivières de la tendresse et de la beauté coulent sur ma planète «Certitude», est-ce que le parfum et la lumière des fleurs adoucissent les rigueurs de son climat ?*

Le géographe

C'est le savant qui sait dans sa tête où se trouvent les choses et qui ne connaît pas leur réalité. Il ne perçoit pas le monde avec ses sens, il n'a jamais vu un océan ou une ville; il est bien trop important pour flâner.
Il se fie aux dires des autres (de ceux en qui il a confiance bien sûr). Il analyse les preuves sans aller voir sur place; ce serait trop compliqué. Il ne s'intéresse pas à l'éphémère (les fleurs, la mode, les nouveautés). Il enregistre ce qui est durable, qui ne se démode pas, ne bouge pas: par exemple les montagnes, les océans.
Il écrit «des choses éternelles». Et le Petit Prince pense que les fleurs bien qu'éphémères, c'est ce qu'il y a de plus joli et qu'il faut les défendre contre le monde.

> • *Sur mon astéroïde, quand je prends des notes, est-ce que je rencontre l'enfant avec mes sens, ma tête ou mon coeur ? Est-ce*

que je le découvre par ce que je vois ou par ce que les autres me disent de lui ? Est-ce que je considère l'enfance comme éphémère ? Est-ce que je classe l'enfance dans ce qui est joli, utile ? Est-ce que j'attends des preuves pour lui faire confiance ? Me voilà, tantôt assise comme un géographe, tantôt mobile et curieuse comme un explorateur.

La planète Terre ou deux milliards de grandes personnes

Le Petit Prince arrive dans le désert, symbole de solitude, lieu de vie intériorisée, de rencontre avec l'essentiel.

Après le roi représentant la faiblesse de celui qui paraît fort, il rencontre le serpent ou la puissance de celui qui paraît faible.

Venu pour s'instruire, chercher des amis, il découvre que ce qui enchante la vie, ce qui fait son importance et sa beauté est «invisible pour les yeux». Puis il décide:

«*Moi aussi, aujourd'hui, je rentre chez moi. C'est bien plus loin... c'est bien plus difficile...*». Et le pilote sent bien qu'il se passe quelque chose d'extraordinaire: «*Il me semblait qu'il coulait verticalement dans un abîme sans que je puisse rien pour le retenir*».

Le Petit Prince sait ce qui est important pour lui. Il sait que ce n'est pas triste, les vieilles écorces. Et moi, maintenant, je me demande si je saurais accompagner un enfant qui «rentre chez lui». Je n'ai pas de réponse, je me tais.

Je suis de passage... Chaque enfant m'émerveille.

Il éveille ma conscience et libère mon âme. Sur mon chemin, chacun d'eux est une fleur qui embellit ma vie, une lumière qui reflète celle du créateur de l'univers.

Enfant

    Qui es-tu ?

Saisir ton regard

    Et cueillir sa lumière.

Respirer ton parfum

    Et m'enivrer de vie.

Ouvrir la cage de mon coeur

    Et m'envoler vers toi.

Me voici avec toi

    Au-delà de l'instant

    Chevauchant l'horizon

    Pour sauter sur la lune.

Jouer dans l'arc-en-ciel

    Boire à la source du printemps

      Chanter

      Ecouter la présence invisible de tes rêves-couleurs.

Ton sourire dévoile les merveilles de l'univers

    Tu allumes pour moi des étoiles de rire

    Tu décores ma maison intérieure d'amour et de tendresse.

    Viens encore me dire

      En silence

        Qui je suis.

                ❀   *Geneviève Manent*

BIBLIOGRAPHIE

1 — Pour se mettre en contact avec la qualité d'enfant et le merveilleux:

- *Le Petit Prince* de Antoine de Saint-Exupéry. N.R.F., Gallimard. (Folio Junior n 100).

- *Histoire sans fin* de Michaël Ende, livre de Poche, L.P. n 6014, éditions Stock. Une histoire où se mêlent rêve et réalité dans une dimension initiatique.

- *Allons réveiller le soleil* de José Mauro de Vasconcelos. Le Livre de Poche Jeunesse n°408.
  Un enfant sud-américain embellit sa vie grâce à son «crapaud» intérieur.

- *Le joueur de flûte* de Paul Riby. Le Souffle d'Or, collection de la Rosée.
  Conte pour enfants et adultes.

- *Le prophète** de Khalil Gibran. Casterman.
  Texte poétique sur l'essentiel de la vie.

- *Le petit Nicolas* par Sempé et Goscinny, Denoël.

- *Alice au pays des Merveilles* de Lewis Carrol. (Folio Junior n 117).

- *Mafalda.* Glénat éditeur.
  Bande dessinée sud-américaine: la conscience de l'enfant nous dépasse.

- *A hauteur d'enfance.** Morice Bénin.
  Cassette de poésies et chansons, diffusion Le Souffle d'Or.

2 — Pour se relier à l'univers:

- *Jonathan Livingston le Goéland* de Richard Bach. Flammarion.

- *Patience dans l'azur — l'évolution cosmique.* Hubert Reeves. Le Seuil, Paris.

- *La terre s'éveille, les sauts évolutifs de Gaïa* de Peter Russel. Existe aussi en cassette vidéo, 35mm. Le Souffle d'Or, 1989.

- *Ming-Lo déplace la montagne**. Arnold Lobel. L'Ecole des Loisirs, Paris, 1985.
  Conte humoristique sur les changements de perspective.

3 — Pour une recherche sur la quête de l'homme:

- *L'homme et ses symboles* conçu et réalisé par C.G. Jung, Robert Laffont.

- *La percée de l'être* de G. Durkheim, Courrier du Livre.

- *L'homme sans frontières — Les états modifiés de conscience* de Pierre Weil.
  L'Espace bleu, 1988. Concerne la psychologie transpersonnelle: aller au-delà des
  réalités perçues par les cinq sens.

- *Vivre*. Docteur Jacques Donnars. Collection «Le corps à vivre», Tchou.
  Concerne l'épanouissement de l'être.

- *La mort est un nouveau soleil**. Elisabeth Kübler-Ross, Le Rocher, Monaco, 1988.

- *Dictionnaire des symboles*. Jean Chevalier et Alain Gheerbrant.
  Collections Bouquins, Robert Laffont, 1982.

- *La fête des fous — Essai théologique sur les notions de fête et de fantaisie* de Har-
  vey Cox. Editions du Seuil, 1971.

- *L'évangile au risque de la psychanalyse*. Françoise Dolto interpellée par Gérard
  Séverin, Jean-Pierre Delarge éditeur, 1977.

- *Rêver pour renaître — les rêves de franchissement du seuil: leur rôle dans la récon-
  ciliation psychique*. Georges Romey, collection «Réponses», R. Laffont.

- *L'énigme du labyrinthe*. Revue Notre-Dame de Chartres n 58, Chartres, 1984.

- *Utilise ce que tu es** de Fun-Chang. Editions Soleil. Conte chinois.

- *Eloge de la différence — La génétique et les hommes* de Albert Jacquart. Le Seuil,
  collections Points Sciences n 527.

- Revue *Approche : Questions sur l'homme. Questions sur Dieu.* N 7, 40. *Questions
  à Françoise Dolto.* Centre de documentaion et de recherches - 108 Bis rue de Vua-
  girard - 75006 Paris.

4 — Pour une approche de la communication:

- *Une logique de la communication*. Watzlawick, J. Helmick Beavin et Don D. Jack-
  son. Points Sciences humaines n 102, éditions du Seuil, 1972.

- *Relations d'aide et formation à l'entretien - Réflexion originale et stimulante sur les processus de communication* Jacques Salomé, Presses Universitaires de Lille.

- *Derrière la magie, la Programmation Neuro-Linguistique (P.N.L.)**. Alain Cayrol et Josiane de Saint Paul. InterEditions, Paris, 1984.

5 — *Pour une meilleure connaissance de l'enfant:*

- *Psychanalyse et pédiatrie* de Françoise Dolto. Points, Sciences humaines n 69. Editions du Seuil, 1971.

- *La cause des enfants* de Françoise Dolto, Robert Laffont, 1987. L. Poche n 6222.

- *Enfants, le droit au génie* de S.J.G. Doman.

- *Processus de maturation chez l'enfant — développement affectif et environnement.* Docteur D.W. Winnicot. Petite bibliothèque Payot n 245. Paris.

- *Communier avec votre enfant avant la naissance.* D. Church. Le Souffle d'Or.

- La revue «*Pratique corporelle*» se propose de repérer et d'analyser les pratiques corporelles sur les terrains de l'éducation, de la thérapie et de la formation et de faire connaître des expériences, des recherches, des innovations concernant le corps, notamment dans les institutions.
Revue publiée par la Société Française d'Education et de Rééducation psychomotrice. André Pujol, Lycée Joffre, allée de la Citadelle, 34060 Montpellier.

- Le mensuel *Enfants d'abord,* 7 Cité Paradis - 75010 Paris.

6 — *Livres relatifs à la méthode Vittoz:*

- *Traitement des psycho-névroses par la rééducation du contrôle cérébral.* Docteur R. Vittoz. J.B. Bailler, Suisse.
Ouvrage de base à lire après avoir pratiqué.

- *Vers le calme intérieur* de J.H. Bury. Société belge d'ostéopathie et de recherche en thérapie manuelle (S.B.O.R.T.M.), Charleroi. Diffusé par Maloine, Paris.
Développe le but et la pratique de la méthode du docteur Vittoz.

- *Le conscient chez Vittoz* par Bron Velay, éditions Pierre Téqui, Paris.

- *De la méthode du docteur Vittoz à la psychologie des profondeurs.* Dr R. Bruston. Hommes et Groupes. Epi, 1983.

7 — Livres concernant les techniques de yoga et relaxation:

a) Yoga

- *Des enfants qui réussissent — le yoga à l'école*, de Micheline Flak et Jacques de Coulon. Editions Epi, Paris, 1985.
Pour guider les jeunes vers une meilleure gestion de leur énergie.

- *Techniques de bien-être pour les enfants — expression corporelle et yoga* de Monique Calecki (directrice d'école maternelle à Paris) et Monique Thevenet (rééducatrice en psycho-motricité et psychopédagogie, animatrice de techniques corporelles). Editions Armand Colin-Bourrelier, Paris, 1983.
Pratique pédagogique pour enfants à partir de quatre ans.

- *Yoga Nidra, apprenez à dormir* de Swami Satyananda. Editions Satyanand-ashram, 11 Cité Trévise, 75009 Paris. Diffusé par Dervy-Livres.
Un ouvrage de base sur le yoga et la relaxation.

- *Le yoga du sommeil éveillé — yoga nidra* de Dennis Boyes. Epi, Paris.
Plus de quarante textes de relaxation.

- *Un art de vivre — la pratique du yoga en Occident,* et
- *Manuel de yoga n 1 et 2*
de Roger Clerc. Le Courrier du Livre, Paris.

- *Yoga et maternité* de Ma Anand Gandha. Réédité au Soufflc d'Or en 1990.

- *Le yoga sans postures.* Philippe de Méric. Livre de Poche.

- Les publications du R.Y.E. (Recherches sur le Yoga dans l'Education). A la découverte du potentiel humain. (Association dont s'occupe Micheline Flak) Collège André Malraux — 5 bis rue Saint-Ferdinand 75018 Paris.

b) Relaxation

- *La relaxation thérapeutique chez l'enfant* de Berges et Marika Bounès. Masson.
Analyse approfondie sur la relaxation thérapeutique, expérience en hôpital.

- *Apprenez à relaxer vos enfants de 2 à 7 ans en les amusant* de Denise Chauvel et Christiane Noret. Ed. Retz.
Source d'idées pratiques pour relaxation à la maison et à l'école.

- *Comment relaxer vos enfants de 7 à 14 ans* du Docteur Yves Davrou, Ed. Retz.

- *Guide des Musiques Nouvelles pour le voyage intérieur* de Ralph Tegtmeier. Le Souffle d'Or, collection Chrysalide.

8 — *Livres concernant des méthodes spécifiques de relaxation:*

- *Relaxation et créativité; votre biosynergie* de Jean-Pierre Bruneau, Janine et Yves Ropars. Editions Istor, 1986, au Signal. Diffusion Chiron.

- *Savoir relaxer* de E. Jacobson. Editions de l'homme.

- *Le training autogène* de Schultz. P.U.F.

- *Se relaxer* de Martenot. Albin-Michel.

9 — *Livres concernant des techniques corporelles:*

- *Eveil et harmonie de la personnalité — culture physique et psychique par la méthode arc-en-ciel* de Jacques de Coulon. Le Signal, Lausanne.

- *Vivre son corps — pour une pédagogie du mouvement.* Yvonne Berge. Le Seuil.

- *Le centre solaire du corps, source d'énergie et d'équilibre. — 58 mouvements pour mieux vivre* de Ellé Foster. Epi.

- *Le corps a ses raisons — auto-guérison et anti-gymnastique* de Thérèse Bertherat et Carol Bernstein. Le Seuil, 1976.

- *La conscience du corps.* Moshe Feldenkrais. Edition Robert Laffont.

- *Le souffle pour mieux être — ses techniques.* Ilse Niddendorf. Retz.

- *Kinésiologie, le plaisir d'apprendre,* et
- *Kinésiologie pour enfants* du docteur Paul Dennison. Le Souffle d'Or.
  Méthode qui permet d'utiliser le cerveau gauche et le cerveau droit simultanément, facilitant ainsi l'acquisition des connaissances.

- *L'expression corporelle à l'école* par Pinok et Matho. Psychopédagogie du sport, Librairie J. Vrin.

- *Apprenez à respirer à vos enfants* de Jean-Paul Allaux. Editions Retz.
  De nombreux exercices spécifiques à faire à la maison ou à l'école, seul ou en groupe.

- *La Douce* de Claude Cabrol et Paul Reymond. Editions M.D.I., B.P. 69 — 78630
  Orgeval cedex.
  Expérience dans une école avec des enfants à partir de deux ans.

- *La polarité, vos mains guérissent** de Richard Gordon. Editions Soleil, 1984.

- *La métamorphose* de Gaston Saint Pierre et Debbie Boater. Collection Chrysalide,
  Le Souffle d'Or, 1988.

10 — A utiliser avec les enfants

- *Documents sur les mandalas* de Marie Pré
  Livres et documents. Marie Pré: «Chemin des Eridolles 17580 Bois-Plage en Ré.

- *La planète bleue*. Marie-Joséphine Grosjean. Edition Albin-Michel.

- *Quatre milliards de visages»* de Peter Spier. L'Ecole des Loisirs.

- Livres d'Or des poètes (pour les différents âges).

- *Jouons à découvrir notre corps, un livre qui boug*. Nathan.
  Pour les plus petits.

- *Qu'y a-t-il dans mon corps ?* Clare Smallman. Les deux coqs d'or.
  Pour les un peu plus grands.

(*) Livres diffusés par le Souffle d'Or. Catalogue gratuit sur demande.

MUSICOGRAPHIE

1. MUSIQUES DE RELAXATION

a) Musiques cosmiques

- Thierry Morati*, (DIEM[1])
    - *Aphrodite*
    - *Le lac sous la mer*
    - *Nymphéa*
  concerne davantage l'enfant, avec une idée de légèreté et de gaieté.
    - *Altaïr*
    - *Altitude*

- Pharista*
    - *The Silent Waves*
    - *Angels's Voyage*
    - *Inner Citadel*
  Ces musiques mettent dans un état vibratoire particulier, avec une idée d'espace et de légèreté.

- Larkin: *O'cean**.

- Jean-Claude Mara *La création* (flûte de Pan),
  pour le ressenti du souffle, de la vibration dans le corps et pour une certaine élévation spirituelle.

- Pushkar: *Inner Harvest**.
  Musique, eau et oiseaux.

- Music for Zen Meditation
  de Tony Scott (Polydor 2304138).

- Stephen Sicard-Logos: *La lune des Sages*, (Diem);
  s'adapte bien pour tout ce qui concerne les pays merveilleux.

- Kitaro: *Oasis**.

b) Musiques classiques

- Daniel Kobialka:
  Autour du canon de Pachelbel: *Timeless motion**.

- *Livre d'or de la harpe*, par Marie-Claire Jamet, Musidisc. R.C. 898.

- Flûte et harpe de Christian Larde et Marie-Claire Jamet, Harmonia Mundi. HMO 30.595.

- Beethoven: *La symphonie pastorale*

- Mozart: Quintette pour clarinette et cordes en la majeur, K.581.

c) Autres musiques

- Los Incas*:
    - *La porte du silence*
    - *Un instant d'éternité*

- Alan Stivell: *Renaissance de la harpe celtique*.

- Myrdhin: *Naître d'Amour*. Harpe. SOFEC 8903.

- Musiques de film:
    - *Jonathan Livingston, le goéland*
    - *Le Grand bleu*
    - *Bilitis*
    - *L'Apocalypse des Animaux* (de Vangelis)
    - *Les Chariots de Feu* (de Vangelis).

- Akasha*:
    - *Sky Wings*
    - *Life Song*
    Inspirées des mélodies et du message de Sri Chinmoy, chantées par le groupe féminin Akasha.

- Cassettes Soleil: *Sons de tambour et cor des Alpes*.
    Musique de détente, notamment pour le travail sur les pieds, les mains, le ventre et le plexus solaire. Pour tout ce qui concerne l'enracinement et l'incarnation.

2. MUSIQUES POUR UN EVEIL CORPOREL

- Smetana: *La Moldau*.

- Musique du film *Barry Lindon*

- Vivaldi:
    - *Concertos pour deux mandolines et cordes*, P. 133, 134; p.16, Erato. ECD55013.
    - *Les Quatre Saisons*
    - *Concerto pour hautbois*. RV447, 464, 452, 453. Erato ECD55025.
    Ces trois disques peuvent notamment être utilisés pour le travail sur le graphisme et les marches.

- Pinok et Matho: *Espace dynamique pour l'expression corporelle, le mouvement et l'imagination*. Musique de F. Semprun et M. Christodoulides. Arguments de Pinok et Matho, Unidisc, 30.1309

- *Atmosphère, prétextes musicaux pour aventures gestuelles*, musique de Claude Marbehant. Conception: B. Jardin. UD301457.

- Paul Simon: *Graceland* (album),
    Rythmé, pour tout ce qui concerne, notamment, les pantins.

- Sting: *The dream of the blue turtles*,
    pour les étirements et relâchements.

- Peter Gabriel: *SO*
    - *Don't give up*
    - *Mercy Street*

- Pink Floyd

3. CASSETTES PARLÉES

- Docteur Christian Schaller: *Laissez-vivre l'enfant qui est en vous**, Editions Soleil. (Pour les adultes).

- Jannike Wagner et Bruno Savoyat: *Voyage au pays du sommeil**,
    Centre Jonathan. (Pour les enfants, méthode d'endormissement en méthode alpha).

- B. Blin: *Relaxations pour enfant*, DIEM, en préparation.

(*) Musiques diffusées par le Souffle d'Or — B.P.3 — 05300 Barret-Le-Bas (catalogue sur demande).
(1) DIEM. 44, rue de la Chapelle — 95310 Saint-Ouen-L'Aumone.

INDEX DES RELAXATIONS

INDEX DES MOTS - CLES

LE SOUFFLE D'OR A DEJA PUBLIÉ:

Collection *FINDHORN* :
- Révélation *(épuisé)*
- La voix des anges
- Jeux nouveaux
  (nouvelle édition 1988)
- Semence d'étoile
- Emergence
- Les bâtisseurs de l'aube
- L'envol vers la liberté
- Le retour du peuple des oiseaux
- La petite voix
- Le livre d'Emmanuel

Collection *CHRYSALIDE* :
- La métamorphose
  (nouvelle édition 1988)
- Vivez dans la lumière
- Un instant, une pensée
- Elixirs floraux et médecine
  vibratoire *(épuisé)*
- Cristal de vie
- Cristaux et développement
  personnel
- Guide des musiques nouvelles
- L'enfant et la relaxation

- Yoga et maternité
- Toute la kinésiologie
- Kinésiologie, le plaisir d'apprendre
- Kinésiologie pour enfants
- Le corps ne ment pas
- Les endorphines
- Fleurs et santé
- Le papillon noir
(nouvelle édition 1989)
- Communier avec votre enfant avant la naissance
- La vie ouverte
- Neuf clés pour vivre sa mort

Collection de la ROSÉE :
- Le joueur de flûte
- Les enfants aux yeux de soleil

Hors collection :
- Le guide de l'éducateur nature
- L'homme autrement
- Médecine de l'essence *(épuisé)*
- La Guérison : de la tradition à aujourd'hui
- La Terre s'éveille